JOSE ORDOÑEZ

36 HORAS DE CHISTES

Record Mundial

Primera edición: mayo de 1995
Segunda edición: octubre de 1995
Tercera edición: julio de 1996
Cuarta edición: mayo de 1997
Quinta edición: junio de 1997
Sexta edición: agosto de 1997

© Editorial La Oveja Negra Ltda., 1995
    Cra. 14 N°. 79-17 Santafé de Bogotá, Colombia

ISBN: 84-8280-091-2

Artes: Grupo Editorial 87 Ltda.
Fotomecánica: Fotolito Villalobos Ltda.

Impreso y encuadernado por
● printer colombiana *s.a.*
Impreso en Colombia - Printed in Colombia

INTRODUCCIÓN

Un chiste es un fenómeno universal. Saber contar chistes es una virtud. La espontaneidad del contador de un chiste es el valor que determina la sonrisa de quien lo escucha. Para la *Real Academia Española* un chiste es un dicho agudo y gracioso. Explica el *Diccionario del Uso del Español* de la señora María Moliner que chiste procede de la onomatopeya "chss" con que se invita a callar o hablar muy bajo cuando se dice un cuento verde o un doble sentido. Pero dicho en un concepto más amplio chiste es todo lo que hace sonreír por su comicidad. Hay chistes inocentes, como tendenciosos, agresivos, obscenos o como los llamamos comúnmente "chiste verde" que narra algo vergonzoso. Un chiste hábil y oportuno es una demostración de una inteligencia rápida y picante.

José Ordóñez es un narrador de chistes muy especial. Un excelente humorista que tiene el mérito de estar promoviendo un género en la radio internacional que consiste en narrar durante 36 horas seguidas, sin dormir, chistes a cuatro manos. Es tal su éxito que ya fue incluido en el libro de los *Record Guiness*.

Nació en Bucaramanga, Colombia, hace menos de treinta años y batió en Uruguay su propio récord al llegar a 26 horas contando chistes, luego lo superó y ha alcanzado 36 horas. Varios países lo han invitado para que divierta a su audiencia radial. Este libro recoge los mejores chistes de sus 36 horas de récord radial.

Una reunión social, una velada familiar e inclusive una reunión de negocios se amabilizan e inclusive se salvan cuando alguien narra un chiste oportuno y alegre.

BENITO

PELAGATO

El novio de la hermana de Benito le dice a Benito:
— Benito ¿por qué no me deja acariciar el gatico?
— No, no, yo no le dejo acariciar mi gatico, jamás voy a dejar que usted acaricie mi gatico.
— ¿Por qué Benito?
— Porque mi mamá me dijo que usted era un pelagato.

ATENTADO

Resulta que corría por ahí el chismecillo de que en aquella fiesta iba a haber un atentado, que iban a envenenar la comida o iban a poner una bomba.

Se toman medidas drásticas en el asunto: Primero el parqueadero era lleno de policías, agentes del DAS, pero como era un buffet de alta alcurnia para invitar a la familia de Benito, esa noche iba Benito, bueno, tomaron las medidas drásticas contra las bombas, pero para la comida trajeron fue un perrito y le dieron de comer al perrito y esperaron media hora y, pues al perrito no le pasó nada, bueno... ya pueden empezar a comer. Terminaron y estaban en el postre cuando entra Benito y dice:
— El perro, el perro está muerto
Todo mundo se va a los baños a vomitar y le preguntan a Benito:
— ¿Cómo así que el perro está muerto?
Sí, lo atropelló un camión.

ARGENTINOS

EL ESPÍA

¿Cómo se hace para saber que un espía es argentino?
Lleva un letrero en la espalda que dice: Soy el mejor espía del mundo.

SE HACE LO QUE SE PUEDE

Alguien le dice al argentino, en una mañana de sol:
— Oiga qué mañana tan bonita.
— Y dice el argentino:
— Gracias, gracias, se hace lo que se puede.

EL TENISTA

— Che, ¿pero vos no me has visto jugar tenis?, ¿pero no has visto cómo juego yo tenis? ¡Ah!, soy una maravilla, fíjate, con decirte que mi señora es campeona mundial, fíjate, la semana pasada le gané un partido 7-5 y 7-5.
— Ajá, y ¿cuándo fue eso?
La semana pasada antes de tener nuestro primer hijo.

VARIOS

LA MUJER DEL ALCALDE

En el pueblo se habían acabado las mujeres, entonces los hombres, como último recurso habían empezado a salir con animales. Al que le gustaba vivir con burra vivía con burra, al que le gustaba vivir con marrano, vivía con marrano y así en fin.

Pues el tipo había acabado de llegar al pueblo y vio a todo el mundo con su animalito, y dijo:

— ¡A no!, ésta sí no me la pierdo, muestre a ver.

Y de pronto vio a una marranita toda arregladita, toda perfumada con su capuchita roja y se la llevó a rumbear esa noche; todo el mundo lo miraba raro y le pregunta al tipo de la barra:

— Oiga hermano, dígame, aquí ¿por qué todo el mundo me mira mal? Vea allá, ese señor está con una jirafa, aquel señor con una perrita y yo que vengo con una marranita lo más de bonita me mira todo el mundo, ¿por qué?

No hermano, es que usted se metió con la mujer del Alcalde.

AMARRE A ESE PERRO

Hace rato que no veía a su amigo, entonces va a visitarlo y el hombre va entrando y se le manda un dóberman, y el tipo lo primero que hace es salir corriendo y subirse a un árbol y empieza a gritar:

— Juan, Juan, Juan, amarre a ese perro.

Y le dice el amigo que estaba encerrado, se asoma por la ventana:

— No hermano, hace seis días que ese perro rompió la cadena y no he podido salir de aquí.

LE DA CONGESTIÓN

El hombre sufría de una enfermedad bastante rara porque se ahogaba y le daba congestión. Se fue para donde todos los médicos especialistas, agoreros, magia negra, yerbateros, y nadie le daba con el chiste porque el tipo se ahogaba y le daba congestión. Le dictaminaron muerte dentro de pocos días y el tipo dice:

— ¡No!, me voy a morir, pero me voy a morir bien vestido, con buenas mujeres, tomando trago, pero bien vestido.

Se va a una *boutique*, entra y dice:
— Vea, quiero la mejor camisa que usted tenga acá.
— ¿Usted qué talla es?
— 37.
— No señor, usted es talla 40 porque la 37 lo ahoga y le da congestión.

BENITO

LA CAUCHERA

— Benito, pero vea usted, si, no, vea cómo le volvió el ojo a ese niño, ¡pero qué caucherazo el que le pegó!, eso es culpa suya.
— No mami, eso no es culpa mía.
— ¿Cómo que no?
— No mami, yo no sabía que la cauchera estaba cargada.

EL COMETA HALLEY

El niño llega y le dice a la mamá:
— Mami, mami, ¿me deja ver el cometa Halley?
— Bueno, pero desde lejitos, me hace el favor.

LA BICICLETA

— Buenas tardes niño.
— Señora, yo me vení para cá' pa' la casa haber si está Andresito.
— Andresito no va a salir a jugar, está castigado.
— ¿Será que su bicicleta también está castigada?

VARIOS

UN LADRILLAZO

El hombre era supremamente de malas, se había comprado un reloj muy bonito y para chicanear se subió las mangas del buzo para que todos le vieran el reloj; iba caminando por la calle cuando de pronto vio una manifestación y él creyó que era una buena oportunidad para chicanear con su reloj, se metió a la manifestación, salió de la manifestación:
— Mi reloj, ¡ah desgraciados!, pero ahora me voy a desquitar de todos, ojalá le caiga esta piedra al que se robó el reloj.
Y se va para la casa. Cuando llega, sale el hermano:
— Oiga, venga, imagínese que mi mamá estaba en una manifestación y la mataron de un ladrillazo.

EL TÚNEL

La pareja ya se había casado, iban a su luna de miel; se suben al tren y se van para la luna de miel, entonces se meten por un túnel largo, largo y oscuro, durante como quince minutos, y entonces, le dice el marido:
— Mamita de saber que el túnel era más largo, le hubiera echado su primera paseadita, pero ¡como así!, ¿no fue usted, hola?

MÁXIMA

El tipo va manejando su carro y se encuentra un letrero que dice: Max. a 50, entonces el hombre disminuye hasta 50. Se encuentra después uno que dice: Max. a 40, desciende hasta 40. Por allá, más adelante, Max. a 30, y se baja el tipo a 30; Max. a 20 y se baja a 20; Max. a 10, a 5 kilómetros por hora. Cuando se encuentra un letrero que dice: Bienvenidos a Máxima.

OREJA

El tipo se manda peluquear, pero cuando entra a la barbería se da cuenta que hay un perrito que no lo quiere soltar a ningún lado, donde vaya el cliente el perro va detrás. Efectivamente, al hombre empiezan a cortarle el cabello y el perrito ahí pendiente. De pronto el tipo se cansó y le dijo al dueño:
— Oiga señor ¿y el perro por qué no hace sino mirarme desde que llegué?
— ¡Ah!, tranquilo que yo de vez en cuando le tiro un pedazo de oreja.

LA SUEGRA

Le llegan con una noticia al tipo:
— ¿Sí sabe no?, se murió la suegra.
— A sí, se murió la suegra, se murió la suegra, se murió la suegra.
— Espérese un momentico, cálmese, se murió la suegra de su esposa.

LA MONA

Dos amigos se encuentran y uno le dice al otro:
— Hermano, le tengo una noticia mala y una buena.
— ¡Ajá!, sí okey.
— Acabo de recoger sus exámenes donde el médico, y le cuento: Mañana usted se muere.
— ¡Ah caramba!, mañana me muero, y ¿cuál es la buena?
— ¿Sí ve esa mona que está allá? esa mona está saliendo conmigo ahora.

CON LA SUEGRA

— Ala ¿por qué tienes esa cara toda triste?, ala ¿qué te pasa?
— Tengo problemas con mi suegra.

— Mijo ¿pero se va a poner por eso así? si todos tenemos problemas con las suegras.
— Sí, pero no todos la dejan embarazada.

¡QUE SUENE EL ÓRGANO!

— Padre yo vengo a confesarme con usted.
— A ver cuénteme hija.
— Lo que pasa es que yo no sé, ¡ay cómo le digo! Resulta que yo tengo como una enfermedad, no sé, yo empiezo a oír música y empiezo a empelotarme. Es que es irresistible, escucho las notas armoniosas de cualquier instrumento y me empeloto.
— ¡Que suene el órgano de la iglesia!

ESO ERA ANTES

— Mi amor ¿qué te pasa que te veo muy triste? Antes mis besos te embriagaban.
— Eso era antes, ya pertenezco a Alcohólicos Anónimos.

NO PORQUE GRITO

Paseaba por el césped la pareja de novios enamorados. Se recuestan en el césped, de pronto aparece una serpiente:
— ¡Ay!, ¡ay!, ¡mira ese bicho tan raro!, ¡mátalo Andrés!, ¡mátalo!
— Tranquila, usted quédese quietica que no es venenosa, usted se está quieta y seguro no nos va a pasar nada.
— ¡Ay no, no!, ¡mátela, mátela!
— Quédese quieta y no nos pasa nada.
Pasan cinco minutos y dice Andrés:
— Mijita ¿la cojo del rabo?
— No, no porque grito.

NO ME DEJABAN DORMIR

El novio le pregunta a la novia:
— Mi amor ¿es verdad que soy el primero en dormir contigo?
— ¡Ay sí! los otros no me dejaban dormir.

CATALEPSIA

La suegra del tipo sufría de catalepsia; resulta que un día le dio un ataque y todos pensaban que estaba muerta, pero resulta también que no estaba muerta. La metieron al cajón, la velaron y camino al cementerio, de pronto pues pasaron por un hueco y el ataúd se movió y ¿qué creen ustedes?, la suegra se despertó y todos:
— ¡Ay la suegra está viva!
Y el yerno:
— ¡A vida berraca!, ¡no faltaba sino esto, dizque cataléptica esta vieja!, ¿ah?
Pasan cinco años, efectivamente ahí se muere la suegra, ya no era catalepsia, van por el mismo camino y cuando iban pasando por el hueco el yerno grita:
— Pasito que por aquí se despertó la vez pasada.

HIPERBOLES

* Más fea que pedirle plata a un mendigo.
* Tan fea que para pedirle novio a San Antonio se pone máscara.
* El muchacho es tan bruto que lo invitaron a ver *El Graduado* y llegó tarde porque se fue a comprar regalo.
* Tan bruto el político que en una manifestación le nombraron la madre y la llevó para que se la condecoraran.
* Tan bruto que botó el reloj porque siempre le marcaba una hora diferente.

* Se oye más que un alegato en un convento.
* Se escucha más un afeminado en tenis.
* Suena más un derrumbe de algodón.
* Se siente más la caída de un pañuelo.
* Tan viejo que fue el que le alisó las tijeras a Dalila.
* Estaban tan viejos mis abuelos que cuando hacían el amor, hacían concierto de vallenatos.
* Tan vieja que se quita los años a punta de puñaladas.
* Tan viejo que en su tiempo las guerras eran a punta de cachetadas y pellizcos.
* Más ordinario que un chicle de cebolla.
* Más ordinario que un sostén con pliegues.
* Tiene más dientes que un piñón.
* Tan bonitos tiene sus dientes que se ríe en los velorios.
* Esa muchacha tiene más dientes que Bocas de Ceniza.
* Tiene tantos dientes de oro que duerme con la cabeza metida en la caja fuerte.
* Tiene más dientes que una tajada de papaya.
* Tan especial el boxeador que para hacerlo bailar en las fiestas tienen que tocarle la campana.
* Tan malo el torero que la única vez que lo sacaron en hombros fue para llevarlo directo a un hospital.
* Tan lento el ciclista que llegó dos semanas después del lote.

NOVIOS

NO ME ATREVO

El noviecito, yo no sé si era médico, estaba buscando el corazón y la novia al sentir la mano por ahí le dijo:
— ¡Ay mi amor! ¿por qué no pones la mano en otro lugar?
— Ay mi amor es que no me atrevo.

NINGUNA ESPERANZA

— Señor, yo, pues usted sabe que yo estoy comprometido con su hija, quiero casarme con su hija; deseo hacerle una pregunta, ¿será que tengo esperanzas con su hija?
— Ninguna esperanza, ella se quiere casar con usted.

¡TÓMENSE EL PUENTE!

Simón Bolívar levanta la voz y dice:
— Soldados, ¡tómense el puente!
Y volvieron el martes.

LOCOS

Dos locos van caminado por la calle y uno le dice al otro:
— Mire, mire, mire ese billete de $10.000.
— Y el otro le dice:
— Tan de buenas el que se lo encuentre, ¿cierto?

SI YO HUBIERA SABIDO

El bobo se va a visitar a la novia y al entrar se encuentra un espejo y dice:
— Ve, si yo hubiera sabido que yo hubiera estado acá, ¿para qué me hubiera venido?

PARTA Y COMA

El bobo pasa por una tienda y dice:
— Señor ¿hay panela?
— Sí, sí hay panela.
— ¡Ah!, entonces parta y coma.

BUÑUELO

El campesinito se había ganado la lotería y, pues el no tenía el nivel cultural para asistir a un coctel. Sin embargo una novia interesada por la plata lo invita a un coctel; entonces se sientan a una mesa y viene el mesero:

— ¡Ay juechica!, ahora yo qué voy a pedir, no no, eso venden aquí puras jodas de esas cuhesqueses y eso sabe a puros orines, no, no, yo qué voy a pedir, no, pues yo voy a esperar a que pida la rubia y yo pido lo mismo, no.

— Señorita ¿qué va a pedir?

— Yo quiero un town collins.

— ¿Y el señor?

— No, no, yo voy a esperar a ver qué es eso porque qué tal que eso sea papa y yuca y yo 'horitica no tengo hambre.

Le traen el town collins con su cerecita y lo que más le llamó la atención al campesino es la cereza dentro de la copa.

— El señor ¿qué va ordenar?

— Ah sí, tráigame un town collins pero en vez de cereza échemele un buñuelo.

EL REMEDIO

— Cuénteme una cosa Merceditas, ¿su abuela se murió?

— Sí señor.

— Pero ¿le dieron el remedio?

— No señor porque en el frasco decía manténgase bien tapado.

EL CARPINTERO

— ¡Ay sumercé'!, yo de un golpe rompo una tabla.

— No me diga, ¿usted es karateca?

— No señor, carpintero.

MOTO

En cierta oportunidad el negro quería ordeñar dizque una cabra y en vez de amarrarle las patas le manda las manos a los cachos y la cabra arranca a correr, y ese negro agarrado a los cachos y la cabra corra y el negro prendido y en ésas se asoma la negra y dice:
— Ve, el negro se volvió creído porque compró moto.

PITO

La negra no sabía qué era el fútbol. En cierta oportunidad la invitaron al estadio y fue con el negro y a ella le causó mucho impacto el hecho de que el árbitro pitaba:
— Oye mi amor le voy a hacer una plegunta, ¿por qué ese señol que está allá, cada lato pita?, ¿qué pasa ahí cuando el seño' pita?
— No sea bluta negla, cuando el señol pita quiere decil que para el juego.
— ¡Ay mijo!, por Dios, cómpleme un pito.

RECIÉN PINTADAS

— Papi, ¡uich, qué ceba!, imagínese que cuando iba saliendo del colegio un tipo llegó y me gritó homosexual, homosexual.
— ¡Ajá!, y me imagino que usted corrió, lo alcanzó y le pegó.
— ¡Ay no!, es que tenía las uñas recién pintadas.

LECCIONES A BENITO

* A ver Benito
    — A ver mamita.
    — A ver, déme un ejemplo de verbo.
    — Llover.
    — Ahora conjúguelo.

– Yo lluevo.

Tú te mojas.

El se empapa.

Nosotros nos lavamos.

* ¿Cómo llamaban a Cervantes?

    – Lo llamaban a gritos cuando estaban lejos.

* ¿Qué es un transexual?

    – Es un transporte de sexos.

* ¿Qué es una tasa de natalidad?

    – Es un recipiente lleno de navidad.

* ¿Qué le debemos a Isaac Newton?

    – Yo nada ¿y usted?

* Si tenemos un billete de mil y nos gastamos la mitad, ¿qué nos queda?

    – Un billete rojo.

* Complete la siguiente frase: La violencia engendra...

    – La violencia engendra violines.

* ¿Por qué las chocolatinas tienen papel dorado?

    – Pa' que los negros no se coman los dedos.

ADIÓS SEÑOR ARQUITECTO

Se construía una obra y entonces estaban trabajando y pasó una loca por ahí debajo y un albañil por tomarle del pelo le dice:

– Adiós inmunda loca, más podrida que un agua de florero, adiós loca

Y claro, la loca voltea y lo mira:

– Imundo albañil de barrial, lambeladrillos.

Al otro día pasaba la misma loca por el mismo sitio y pinta la misma escena, y así por tres días más, hasta que de pronto se cambió la sonata, entonces el albañil le dice:

– Adiós bella flor de arrabal.

Y la loca le dice:

– Adiós señor arquitecto.

PASTUSOS

UN CABALLO VENDADO

Un pastuso le dice a otro:
— Oiga compadre, le vendo un caballo.
Y el otro le dice:
— Y yo ¿para qué quiero un caballo vendado?

LAS VENTANAS ABIERTAS

En cierta oportunidad un pastuso iba manejando su carrito; de pronto llega un paisa por detrás y le pega y le vuelve ese carro como una crispeta y se baja este pastuso todo berraco y le dice:
— Pero mire señor, mire lo que acaba usted de hacer, ¿es que no se dio cuenta que yo estaba ahí?, ahora yo qué voy a hacer, ese carro ni siquiera es mío.
— Pero ¿vos te asustas por eso papá?, ¿ves ese hueco que está allá?, ése es el exosto; vos empezás a soplar y a soplar hasta que el carro se va inflando ¿eh?
— ¿De verdad señor?, usted es muy inteligente señor; gracias señor.
El paisa se va y empieza a soplar ese pastuso, dos horas ahí, cuando llega otro pastuso y le dice:
— ¿Y usted qué está haciendo ahí?
— No, pues, imagínese que un paisa me dio por detrás y me dijo que lo inflara por acá.
— ¡Ay compadre, no sea tan bruto!, cómo se le va a inflar si tiene las ventanas abiertas.

BUTACAS PARA SOMBRA

Un pastusito se fue a ver Aventura en el desierto y pidió butacas para sombra.

¿CÓMO HAGO PARA RESPIRAR?

Una pastusita le dice a un pastuso:
— ¡Ay, yo qué voy a hacer!, cada vez que corto cebolla me lagrimean los ojos.
— Pues no sea bruta, córtela debajo del agua.
— Sí, y después ¿cómo hago para respirar?

DÉ PARTE

— Imagínese compadre que anoche iba yo caminando solita por la calle y me atracaron, Me quitaron toda la platica que yo llevaba.
— Pues hombre, dé parte a la policía.
— No, ¿si no le digo que me la quitaron toda?

¿QUÉ DEBO HACER?

   El pastuso se va a confesar donde el cura y le dice:
— Padre, verá, pues yo vengo a confesarme.
— A ver hijo.
— Padrecito ¿qué debo hacer con los pecados cometidos?
— Ora hijo, ora.
Las 7:30:
— Padre ¿qué debo hacer con los pecados?

VARIOS

LAS NOTAS

— Niños ¿quieren saber las notas?
Y todos:
— Sí, sí.
— Do, Re, Mi, Fa, Sol, La, Si.

CARE'NALGA

— A ver Benito, dígame ¿dónde quedan los glúteos?
— Los glúteos, los glúteos, ¿ésos no quedan en la cara?
— Muy bien care'nalga, siéntese y tiene uno.

HABICHUELA

— Doctor, dígame una cosa, ¿habichuela se escribe con h o sin h?
— Se escribe con h, porque si no se diría habicuela.

PARA QUE VUELVA A CAMINAR

— Le tengo una noticia muy grave a usted.
— No me diga doctor, a ver cuénteme.
— Para que vuelva a caminar le tenemos que amputar las dos piernas.

BORRACHOS

PUES NO ME ENTREGA

El borrachito para un taxi:
— ¡Taxi!, ¡hey taxi!, ¡juta pero pare! Oiga señor, ¡juta señor taxista!
Se sube al carro, cierra la puerta:
— Lléveme a mi casa.
— ¿Dónde queda su casa?
— Ahí en la puerta dice; lléveme, fresco. Señor taxista, ¡juta!, no tengo con qué pagarle.
— Bueno, ¿y si no tiene con qué pagarme para qué se subió?
— No, tranquilo, allá en la casa me pagan.
— Bueno, ¿y si en su casa no me pagan?
— ¡Ah!, pues no me entrega y listo.

ME ROBARON

El borracho se sube al carro y empieza:
— ¡Juta!, ¡juta!, ¡no, no, juta!, me, me robaron la cabrilla, me robaron el radio, me robaron el pasacintas, me robaron la palanca de los cambios, me robaron los frenos.
Y le dice el otro borracho:
— Pendejo, se sentó en la parte de atrás.

EL ANDÉN

Dos borrachos salen de la taberna y empiezan a gritar:
— ¡Uy!, ¡qué pea!, ¡qué pomarrosa!, ¡cómo será la borrachera que tengo que siento una pierna más larga que la otra!
Y le dice el otro:
— Espere que se le acabe el andén.

UNA DOCENA DE ELEFANTES

Iban entrando una docena de elefantes a una taberna y les dice el que atiende:
— ¡Qué pena muchachos su borracho todavía no ha llegado!

BORRACHITO

Un borrachito al que le gustaba meterse a todas las fiestas de sapo, pues de entrometido, se metió a una fiesta y empezó a bailar con la dueña de la casa, a cogerle las nalgas a las camareras, a beberse el trago, a vomitarse en la sala, hasta que se le salió la piedra al dueño de la casa y le dice:
— Oiga ¿a usted quién lo invitó?
— Caballero a mí nadie me invitó, pero a mí nadie me dijo que no viniera.

EL BANCO NACIONAL DE UVAS

— Compadre ¿sí ve ahorita ese edificio blanco?, ¡juta!, ahí me quedé encerrado la otra vez yo, ¿y sabe qué es ese edificio blanco? es el Banco Nacional de Uvas, camine y verá.
Y cuando llegaron:
— Compadre ése es el Banco Nacional de Ojos.

UNA HORA PARA DORMIRME

— Juta doctor, doctor, ayud..., por favor ayúdeme con mi problema, doctor por favor.
— A ver cuénteme.
— ¡Juta!, doctor, es que yo cuando me emborracho me demoro una hora para dormirme.
— Ajá, insomnio.
— No, buscando la cama doctor.

YA LA TENÍA CANSADA

El borracho en una comida quería comerse una aceituna, y entonces le hace el viajado con el tenedor, pero resulta que no la puede pescar, y la aceituna brinque de plato en plato. ¡Juta!, ¡quédese quieta!, y llegó una señora muy amable y la cogió con un tenedor:
— ¡Ah! valiente gracia, ya la tenía cansada.

CANIBALES

MI ABUELITO ESTÁ MALO

El niño caníbal dice:
— Mami, mami, mi abuelito está malo.
— Apártelo y se come no más el arroz, mijo.

COMO DE LO QUE SEA

Le preguntan al caníbal:
— Oígame, ¿a usted le gustan los niños?
— Yo como de lo que sea, mijo.

UN AUMENTO DE SUELDO

— Patrón, mi mujer le manda pedir un aumento de sueldo.
— ¡Ah bueno!, listo; yo le voy a preguntar a mi mujer a ver si se lo da.

LA ROTA

Golpea el señor la puerta de la oficina y abre:
— Sí, dígame.
— Perdón señor, usted es el señor La Rota
— No señor, yo soy el señor La Torre, La Rota es mi secretaria.

BENITO PREGUNTA

— ¿Por qué se formó el cañón del Chicamocha en Santander?
— El cañón del Chicamocha fue porque un tacaño se puso a buscar una moneda de cinco pesos que se le había perdido.
— ¿Cómo metes trescientos zapatocos en un Volkswagen?
— Lanza un billetico de $ 1.000 adentro.
— ¿Cómo sacan a los trescientos zapatocos del carro?
— Fácil, diciéndoles que es un taxi.

LA PARTERA

— Señor Ramírez, ¿por qué ha vuelto a llegar usted tarde aquí a esta oficina?
— Discúlpeme doctor pero es que mi mujer tuvo un parto muy difícil.

— Oiga, pero este es el quinto que tiene en esta semana su mujer, es un fenómeno.

— No, no, lo que pasa es que ella es partera.

EL SEÑOR PÉREZ

Llega una señorita a una oficina donde dice: Pérez, Pérez, Pérez, Pérez y Cía. Entonces va a hablar con el supuestamente gerente:

— Hágame un favor, ¿está el señor Pérez?

— Está en una junta.

— ¿Y el señor Pérez?

— Esta en una junta.

— ¿Y el señor Pérez?

— Está de viaje.

— Y el señor Pérez?

— Sí, con él habla, a la orden.

NO SÉ CONDUCIR

Iba cruzando un tipo la calle y pasa un carro y lo roza, y claro, se le salta la piedra y le dice:

— ¡Eh!, ¿es que no sabe tocar el pito, o qué?

Y el otro le responde:

— Tocar el pito sí sé, lo que no sé es conducir.

LA POSTAL

El jefe iba detrás de la secretaria, era una mujer bellísima, divina pues, una reina, y resulta que cuando regresó de vacaciones volvió todavía más bronceadita, 90-60-90, mamita, y el jefe al verla dice:

— ¡No, no, qué es esto!

Ella muy coqueta pasa por el lado y le dice:

— Doctor ¿usted quiere que le muestre dónde me broncié?

El tipo empieza a sudar petróleo:
— Que, que, ¿que me va a mostrar dónde se bronceó?
— ¡Claro!, ¡claro! Camine al baño y le muestro.

Se meten al baño los dos y ella saca una postal de Miami y le dice: Mire, aquí me broncié.

EL CALVO

A un tipo le gustaba tomarle el pelo a un calvito, siempre; llega y le pasa la mano por la cabeza y dice:
— No, no, esto se siente como cuando uno le toca el trasero a mi mujer.
Y todo el mundo muerto de la risa, y el calvo por desquitarse llega y se toca la cabeza y dice:
— Oiga sí, igualitico mano.

PÉSAME SEÑOR

Las señoritas de hoy cómo han cambiado, antes decían pésame señor; ahora dicen, ¡ay cómo pesa este señor!

LA TENSIÓN

— Doctor, no sé qué pasa pero siempre que me agacho a tomarles la temperatura a los enfermos se les sube la tensión.
— Póngase sostén señorita.

EL BISTURÍ

— Doctor, desde cuando usted me operó siento la respiración cortada.
— ¡Ay, ya me acordé donde dejé el bisturí!, sí.

LÁGRIMAS

— Doctor tiene que ayudarme con mi problema; doctor yo no puedo ver en la calle a una mujer con pecho bonito porque de una vez se me escurren las lágrimas.
— Eso es complejo, mijo, porque a usted lo alimentaron con leche de tarro.

EQUIPO DE FÚTBOL

— Mami, mami, a mí me mandaron a jugar a otro equipo de fútbol.
— ¿Te canjearon mi amor?
— No, me regalaron.

MANEJANDO

Entra un grupo de seis borrachos a la cantina, pero era que daban tumbos de lado a lado, con una soberana pomarrosa de esas hermosas dando tumbos de lado a lado, y de pronto el que medio podía sostenerse en pie:
— Mese... ¡juta..!, mese... ¡juta, juta..!, oiga loco hágame el favor y nos trae a cada uno un aguardiente doble.

Y en ésas un borracho se cayó por allá encima en la mesa vomitando y dice:
— Al que se cayó no por favor porque ese viene manejando.

NI SIQUIERA ME HE IDO

Dos amigos se encuentran en una taberna y pasan la noche porque se la pasan hablando y se dan cuenta que tienen mucha química. Como han conversado tanto, prometen que dentro de quince días se vuelven a encontrar en el mismo bar. Se va uno. A los quince días vuelve y dice:

— No pues, tan pendejo yo pues, sí nos entendimos muy bien y todo, pero yo creo que ese borracho ya no está ahí, pues, sin embargo entremos que de pronto el tipo sí me cumple la cita. Cuando iba entrando ve al borracho y le dice:
— Oiga yo pensé que usted no iba a volver.
— ¿Cuál?, si yo ni siquiera me he ido.

EL BEJUCO

— ¿Cuáles fueron las últimas palabras antes de morir?
— Ese no es el bejuco ¡ayyy!

ASUSTANDO AL CHINO

El niño baja corriendo cuando el papá recién llega del trabajo:
— Papi, papi, mi mamá está allá arriba toda empelota peliando en la cama con otro señor.
El papá sube todo berraco y abre la puerta y le dice:
— ¡No jodas!, ¿ahora se divierte asustando al chino hola?

¿QUÉ QUEDA?

— Claro, cómo no, cómo no moñito, ustedes todos los hombres son cortados con una misma tijera, cada vez que sale Aura Cristina Geithner en la T.V. usted babea. Eso me toca limpiar la pantalla que queda llena de babas, semejante mugrosa, ¿qué le verán?, los hombres son así y claro, uno aquí desperdiciándose toda la carne que tiene aquí y sale a comer afuera ese desgraciado, ¿dígame a ver qué tiene Aura Cristina Geithner?, ¿qué tiene? Nada. A ver, si usted le quita los ojos, el pelo, el busto, las piernas, ¿qué queda?
— Usted mamita, usted.

¿USTED QUÉ SE HACE?

— ¿Por qué viene con esa cara así? claro, a la fija viene de donde la otra.

— No mi amor, imagínate, ayer era la despedida de fin de año en la empresa y se fueron en un bus todos mis compañeros y el bus cayó por un precipicio y murieron todos mis compañeros.

— ¡Ay Benito!, no ibas en ese bus, ¡ay, no!, qué cosa papito lindo, no, no; eso hay que agradecerlo a mi Dios.

— Sí, hoy fueron todas las viudas a reclamar cien millones cada una.

— Bueno, ¿y usted qué se hace cuando hay que ganar plata, ah?

PASTUSOS

SUERTE

Hablaba el pastusito:

— Imagínese que mi mujer es de una suerte increíble, pues esa mujer es increíble; la otra vez llegó a mi casa como a las 3:00 a.m. oliendo como a alcohol, pero no, era que estaba celebrando, tomándose unos traguitos porque se había encontrado un anillo de diamantes. Oiga, pero qué suerte tan increíble la de mi mujer, la otra vez también me había llegado toda borrachita y estaba celebrando que se había encontrado un abrigo de bisón. Eso no es nada, imagínese, ayer me llegó como a las 6:00 a.m. con unos zapatos nuevos y oliendo a alcohol y dije, ¡ay no, pobrecita!; estaba celebrando que se había encontrado esos zapatos; qué suerte la de mi mujer, pero yo sí no. La otra vez me encontré unos calzoncillos en la cama y me los medí y me quedaban grandes.

ENAMORADA

La esposa le dice al pastuso:
— ¡Ay mi amor!, estoy enamorada de un Obregón.
— Dígame quién es ese desgraciado y yo lo mato.

AGUA

Le dicen al capitán pastuso, que es el que va al mando del barco:
— Capitán el barco se está llenando de agua.
— No importa, yo supongo que queda mucha fuera del barco para seguir navegando.

CUANDO HABLO

Le preguntan al que tiene el labio leporino:
— ¿Oiga, a usted se le nota el labio leporino?
— ¡Ah no!, a mí se me nota únicamente cuando hablo.

VARIOS

PERO NO ME EMPUJEN

El cieguito estaba en una corraleja, y el toro empezó a saltar, a subirse donde estaba todo el mundo, y todo el mundo empezó a gritar:
— Se soltó el toro, se soltó el toro
Y como las graderías quedaron vacías, el cieguito era el único que estaba, llegó ese toro y le pega una embestida, lo tira al piso, lo revuelca, y dice el cieguito:
— Cierto que se saltó el toro pero no me empujen.

EL TATARETO

El hombre va a pedir trabajo y al que le va a pedir trabajo llega y le dice:
— Dígame su nombre.
— Pa-Pablo Sá-Sánchez.
— Dígame, ¿usted es tatareto?
— No, el tatareto es mi papá que me puso así.

ZURDO

Le preguntaban al viejito:
— Oiga, ¿verdad que usted es zurdo?
— No señor, yo oigo bien.

SE LOS FUMÓ

Una vez iba el Llanero Solitario por el desierto y se encontró unos Pielroja y se los fumó.

LO QUEBRARON

Una vez un pocillo se metió a la mafia y lo quebraron.

LE DIERON UNA PELA

Una vez una naranja llegó tarde a la casa y le dieron una pela.

LO PELARON

Un banano se puso a jugar naipe y lo pelaron.

EN UNA BATIDA

Un huevo estaba en una batida y se lo llevaron pa'l cuartel.

HAMBURGUESA

Había una perra que no le gustaban los perros, entonces se comió una hamburguesa.

SE DESNUCÓ

Un plátano se desvistió y se tiró a la piscina, y cuando salió pisó la ropa y se desnucó.

LE JALÓ LAS OREJAS

Una vez el pocillo llegó tarde a la casa y la mamá le jaló las orejas.

¿ALGUIEN NECESITA ALGO?

Después de comer la familia de Benito, se para Benito en las escaleras, estira los brazos y dice:
— Mami, papi, atención todos, voy a subir a rezar, ¿alguien necesita algo de parte de Dios?

HIPERBOLES

* Tan flaca que se acuesta en una aguja y se puede tapar con el hilo.
* Tan flaca que se pone el sostén en forma vertical.
* Ese tipo aguanta más hambre que un vampiro vegetariano.
* Es tan flaco que cuando baila le maraquean las costillas.
* Es tan flaco que cuando le pega el viento ondea como una bandera.
* Tan vivo, que cuando juega naipe se hace trampa solo.

* Tan listo que para que las gallinas pusieran los huevos frescos las alimentaba con paletas.
* El hombrecito es tan mujeriego que jugaba ajedrez tan sólo por comerse la dama.
* La situación está tan crítica hoy que para poder comer huevo primero hay que ponerlo.
* Está más quebrado que un bulto de canela.
* Aquellos recién casados no pasaron la luna de miel en San Andrés sino en San Andresito.
* Tan pobre que cuando se encontró una moneda de 50 le pegó un apretón que le vio sacar la lengua a Bolívar.
* El tipo era tan rico que se lo comieron.
* Tan pacifista el hombre que sus vértebras soldadas le desertaron.
* Tan Pacífico que no tiene nada de Atlántico.
* Estudia tanto esa muchacha que va a morir como las gallinas: Bien preparadita.
* Más de malas que un homosexual con cara de hombre.
* Tan de malas que se cayó de espaldas y se rompió la nariz.
* Tan de malas que se murió de hambre por ahorrar contra la falta de apetito.
* Tan de malas la mujer que fue al hospital a cambiarse de sexo pero no le pusieron bolas.
* Más dañino que un mico en un pesebre.
* Más dañino que un toro bizco en una tienda de porcelanas.
* Más loco que una cabra con una balaca azul.
* Estorba más que una vaca en una buseta.
* Más peligroso que una aguja en un tamal.
* Más peligroso que un loco con una escopeta.
* Más peligroso que unos guayos con taches de púas.
* Más peligroso que tener a Hussein de cuñado.
* Había un cíclope tan de malas, tan de malas que nació bizco.

VIEJITOS

NO LO PLANCHÓ

Invitados los viejitos para que fueran a una fiesta de disfraces y la viejita sale desnuda y le dice:
— ¿Qué tal viejo?
— ¿Y de qué se disfrazó?
— De Eva.
— ¡Ja!, muy bonito mija, pero no lo planchó.

VIEJITO

En cierta oportunidad el viejito estaba escuchando una plegaria, de ésas que se escuchan por radio:
— Usted hermano que está escuchando al otro lado, si usted se quiere curar de su enfermedad lo único que tiene que hacer es poner su mano derecha donde usted tiene la enfermedad.

Al viejito se le iluminaron los ojos y manda la mano a cierta parte del cuerpo.
— Y la mano izquierda pónganla encima del radio.

En ésas pasa la viejita y dice:
— Viejo están curando enfermedades, no reviviendo muertos.

ENTRÓ EL FRESCO

Tenían bastante calor los viejitos y dice la viejita:
— Viejo abra la ventana para que entre el fresco.
El viejito se paró, abrió la ventana, entró el fresco y se le robó la T.V.

EMPECEMOS

Llega el viejito de trabajar, suelta su bastón, su sombrero, su frac, se da cuenta que en casa hay un ambiente de algo especial. Que el comedor está iluminado con velas, una botella de champaña en medio de la mesa. El viejito sube, se da su duchazo, se enjabona las axilas, se pone su mejor perfume, se pone su bata; la viejita se sienta al lado de él, comparten la cena, brindan, ponen música, se ponen a bailar y el viejito de pronto le hace ojitos de que suban a la habitación. Suben a la habitación, cierran la puerta con cuidado. Ella se pone su baby *doll transparente,* él se quita la bata y *se acuestan y dice el viejo:*
— ¿Empezamos vieja?
— Empecemos viejo. Por la señal de la santa cruz...

GOOD BYE

Turbay en alguna oportunidad viajó a Miami y todos le decían:
— Good bye, good bye.
— Good bye no tontos, Turbay.

VIVE DE GORRA

¿Qué diferencia hay entre un ciclista y un político? El ciclista lleva el patrocinador en la gorra. El político no necesita patrocinador, ese vive de gorra.

BENITO

* A ver Benito.
— A ver mamita.
— ¿Por qué las bolitas de naftalina son buenas para matar las polillas?
— Son buenas porque es nada más apuntarles a la cabeza y darles ahí.

* ¿Cómo se llama el pecado que cometieron Adán y Eva?
– Adán y Eva, mami una ayudita.
– Pecado ori..., pecado ori...
– Pecado horizontal.
* ¿Cuáles son las plantas que huelen más a feo?
  – Las plantas de los pies.
* Déme tres clases de éter.
  – Eter sulfúrico, eternidad y he terminado.
* ¿Cuál es el plural de niño?
  – Gemelos.
* ¿Cuál fue la reina que ayudó a Cristóbal Colón?
  – Mami una ayudita.
  – La reina de Espa..., la reina de Espa...
  – La reina de Espadas.
* ¿Dónde queda el Chimborazo?
  – Debajo del ombligazo.
* ¿Dónde queda Chimbote?
  – Debajo del ombligote.
* ¿Cómo se llaman los animales que tienen mamas?
  – Mamíferos.
* Muy bien, ¿y los que no tienen?
  – Huérfanos.
* ¿Cuál es la forma del país italiano?
  – De bota pero de plástico.
  – ¿Cómo así de plástico?
  – Sí porque ¿no ve que flota?
* Y si usted tiene en un bolsillo $ 500 y en el otro $ 1.000,
  ¿qué tiene?
  – Un pantalón que no es mío.

EL DINERO

– Señor usted está aquí detenido porque además de robarse el
dinero se robó unas joyas de valor.
– Es que el dinero no es todo en la vida.

BENITO PREGUNTA

— ¿En qué se parece Puente Aranda a la cintura de una mujer?
— En que más abajo queda la Fábrica Nacional de Muñecos.

TRES YA SON DEMASIADO

— ¿En qué se parecen los pechos de una mujer a Martinis?
— En que con uno es suficiente pero tres ya son demasiado.

AL ALCANCE DE SU MANO

Le preguntan a la secretaria:
— Oiga señorita Ramírez ¿y usted por qué se guarda esa carta en los senos?
— ¡Ay!, es que el jefe me dijo que la guardara al alcance de su mano.

FÚTBOL

— Mire señor, lo mandé llamar porque su niño es muy bruto. Imagínese que la vez pasada yo le pregunté que quién había ganado entre Roma y Cartago y no sabía.
— Mire señora, la verdad la culpa es mía porque como nunca hablamos de fútbol...

ESE NIÑO

—Oiga papi ese árbitro sí es pendejo.
— ¿Qué fue lo que dijo?
— Pendejo.
— Esa es una palabra soez.
— Pero si esa palabra la dijo Cervantes.
— Pues no se junte con ese niño y listo.

LE HACE DAÑO

El niño se cae a la piscina y empieza a tomar agua. La mamá viendo esa escena le grita:
— ¡Ay papito! no tome tanta agua que eso le hace daño al estómago.

BURRITO

Una vez venía el burrito con la cara toda triste y yo le pregunté:
— Burrito ¿usted por qué viene todo triste?
— Porque yo estuve leyendo y decía que con la vara que mides serás medido.

MARRANITO

Una vez un marranito estaba amarrado de los pies, y el carnicero afilando el cuchillo y el marranito lagrimeando se queda mirando al carnicero y le dice:
— Señor, ¿cierto que usted me va a desamarrar?

GAMINES

SÚBASE

Un gamincito en la calle, viene una muchacha rubia despampanante, con un escote muy pronunciado, en su Mercedes; de pronto frena justo al frente del gamín y le dice:
— Súbase.
— ¡Uich!, ¿cómo así que me suba?
— Súbase al andén que lo atropello pendejo.

ALUMBRAMIENTO

En un alumbramiento de los gamincitos: Ella iba a tener su primer hijo y dio a luz; el gamín no sabía qué hacer y dice:
— ¿Y 'hora qué hago?
— No, pues déle la palmada al chino.
Y saca la mano y tome pa' que lleve, y el chino apenas se despertó:
— Cigarrillos, cigarrillos a la orden.

MENDIGO

El mendigo le dice a la gorda:
— ¡Ay señora una limosnita por amor a Dios! Tengo hambre, imagínese, tengo cuatro días que no como.
Y dice la gorda:
— ¡Ay, cómo me gustaría tener su fuerza de voluntad hola!

EL PAPÁ A BENITO

El papá de Benito está leyendo la libreta de calificaciones al final de año.
— Uno, aquí hay otro uno, dos, uno, uno, dos; ¡ah bueno!, por lo menos aquí veo un siete.
— Papi ésas fueron las veces que fallé este año.

CON UN CURA

— Ala mijo perdóname, ¿por qué tienes esa cara toda triste, qué te pasa?
— Hermano me separé por la Iglesia y estoy bastante triste.
— ¡Ah mijo! yo también me separé por la Iglesia y mírame, estoy tranquilo.
— No me diga, ¿su mujer también se voló con un cura?

FRENOS

— Ala imagínate que esta mañana estuve a punto de atropellar a mi suegra.
— Ajá, qué, ¿te fallaron los frenos?
— No, el acelerador.

RUIDO

— Ala mijo, ¿y esa cara?, fijo que está trasnochado, fijo, ¿sí o no?
—Sí, lo que pasa es que mi mujer cogió una costumbre hermanito, escucha un ruido, que no, que son los ladrones.
— Ala, pero si los ladrones no hacen ruido.
— Pues eso mismo dije yo, pero ahora me despierta cada vez que no hay ruido ala.

FERRETERÍA

— Vean niños, yo quiero ponerles ejemplos de la vida, porque uno de la vida tiene que aprender, uno tiene que ser juicioso en la vida, uno tiene que estudiar, trabajar; por ejemplo un hermano mío, niños mi hermano empezó un almacén con cinco camisas y hoy en día tiene una fábrica, vean, llena de camisas.
   Y dice Benito.
— Eso no es nada señorita, mi tío una vez abrió una ferretería con una cegueta y un destornillador y está pagando quince años de cana.

SEMILLITA

— Oye hermano Oscar, la verdad es que siento mucho que tu mujer se haya ahorcado en el árbol de mangos que está sembrado en tu casa. Debe ser algo terrible que la mujer se le ahorque a uno. A propósito ¿me puedes regalar una semillita de ese árbol para sembrarla?

DE AXILITA

El señor entra rápido a la farmacia y dice:
— Señor ¿tiene desodorante de bolita?
— No, de axilita sí tengo.

UNA PULGA MUERTA

Salió enfadado el tipo del hotel porque supuestamente había pasado una noche de perros. El gerente lo llama y le dice:
— ¿Qué le pasó mijo?, venga cuénteme.
— No, no pude dormir con una maldita pulga ahí muerta.
— Bueno, pero una pulga muerta no pica.
— No pero las familiares en el entierro sí ¿eh?

UN POLICÍA

— Disculpe señor, ¿ha visto usted un policía en esta calle?
— No, no señor.
— Entonces quieto que esto es un asalto.

SÓLO OSCAR

Ella estaba haciendo el amor con un argentino y miraba para el cielo y decía:
— ¡Ay Dios mío, ay Dios mío!
Y le dice el argentino:
— Che pero decime sólo Oscar.

ME LAMIÓ

— Mami yo me venía para 'cá, un perro me lambió la cara.
— Papito no se dice lambió sino lamió.
— No fue que primero me lamió y luego me lambió.

HIPERBOLES

* Más peligroso que una *criolina* con cuchillas.
* Se despide más que un borracho sin plata.
* Se despide más que un circo malo.
* Se pega más que un chicle en un alpargate.
* Más prendedizo que un bostezo.
* Pide más que un mico en un machacadero de carne.
* Ese tipo es tan borracho que para despegarlo de la botella tienen que usar sacacorchos.
* Tan borracho que no usa sombrero de copa porque también se la bebe.
* Tan borracho que siempre le dicen "Etiqueta" pues siempre anda pegado a la botella.
* Hussein es tan malo que además de matar a los kuwaitíes con gas les pasa la cuenta del gas.
* Tan malo el doctor que en las funerarias lo conocen como el reparto de las utilidades.
* Tan malo el reloj despertador que no despertaba ni sospechas.
* Tan malo el árbitro que con los ladrillos que le mandaban se construía una casa de cuatro pisos.
* Es tan gorda que cuando camina siente que le aplauden por detrás.
* Es tan amanerado que el día que se casó nadie sabía cuál era la novia.
* Tan avaro que el día que se le acabaron los zapatos usó muletas.
* Es tan mentiroso que se le agrandaron los brazos de decir: Así de grande.
* Tan tacaño que para sacarle un peso tuvieron que contratar una retroexcavadora.

* Tan grande el pez que yo cogí que me tocó llamar dos mentirosos para decir cuán grande era.
* Tan tacaño que prefiere ladrar por las noches para economizar perro.
* Tan ahorrativo que manda a vulcanizar los preservativos.
* Tan tacaño que prefiere tantear a los hijos para no pesarlos.
* Tan tacaño que cuando le golpean el codo abre los dedos... de los pies.
* Tan conformista que cuando los suegros le dieron la mano de la novia no tocó sino el dedo meñique.
* Tan modesto el futbolista que cuando anotaba un gol pedía que no lo anotaran en el marcador.
* Tan tímido que nunca le preguntó a su mujer quién era el tipo que todas las noches dormía en el clóset.
* Tan tímido que cuando gira un cheque no se atreve a firmar.
* Tan tímido que no se atrevió a firmar la cédula.
* Tan confiado que no cerraba ni la boca.

BENITO PREGUNTA

— Papi, papi, una pregunta.
— A ver mijo pregunte.
— Papi yo quiero hacerle una pregunta. Papi ¿los tiburones comen sardinas?
— Claro hijo los tiburones comen sardinas.
— ¿Cómo hacen para abrir las latas?
— Mami ¿cuando uno se muere se pone frío, frío?
— Sí, se pone frío, frío, frío.
— ¿Cuando se muere uno se pone duro?
— Sí, se pone duro, duro, duro.
— ¿Cuando uno se muere se pone morado?
— Sí, se pone morado, morado, morado.

– ¿Se pone duro, duro, duro?
– Sí, se pone duro, duro, duro.
– Se me morió el chichi.

LO RECONOZCO

– Benito ¿por qué viene llorando?
– Porque es que un niño en el colegio me mordió la mano.
– ¡Ajá!, muestre a ver, ¡ay pero mire eso cómo lo volvió!, no eso tiene que ser un antropófago, ¡ay qué degenerado!, no eso tiene que ser un caníbal, camine ya para la escuela, ¿usted lo reconoce cierto?
– Sí mami yo lo reconozco, ¿no ve que yo tengo la oreja de él en el bolsillo?

PUNTILLA

El curita trataba de clavar una puntilla y Benito no hacía más que mirar, y el curita trataba de tapar pues para no distraerse con la mirada del niño y el niño mirándolo a ver cómo clavaba la puntilla hasta que se le salió la piedra al cura y le dijo:
– ¿Qué pasa, es que nunca ha visto un cura clavando una puntilla?
– No, no es eso lo que pasa, es que quiero saber qué dice un cura cuando se machuca un dedo.

TOMATÓN

Una vez estaban en la nevera el tomate y el huevo, y el huevo le dice:
– Usted es mucho tomatón.
– Y el tomate se voltea y le dice:
– Usted es mucho... ¡pendejo no!

TANTAS BURRADAS JUNTAS

— ¿Benito será que su profesora se da cuenta que yo le hago las tareas?
— Yo creo que sí.
— ¿Por qué?
— Porque el otro día me dijo:
— ¡Uy Benito! yo no puedo creer que usted haga tantas burradas juntas.

ARENAS MOVEDIZAS

Van por la selva Tarzán y el niño.
— Papi vea allá hay un letrero, ¿qué dice?
— Ar... are... are... arenas mo... mov... move... movedizas, ¡ah! ¡arenas movedizas!
— Papi ¿qué es arenas movedizas?, papi... papi...

DEJÉ DE FUMAR

— Benito siéntese aquí y vamos a hablar sobre los perjuicios del cigarrillo.
— ¡Ah!, yo hace tres años que dejé de fumar mano.

CINE

En la entrada del teatro.
— Señor voy a entrar a cine.
— ¿Cómo?, ¿como?, ¿cómo dijo?
— Premiso.
— ¡Ah, ah!, así no se dice.
— Señor para entrar a cine pre... premiso.
— Diga bien o no entra.
— Pre, prem, pre, prr pere, permiso.
— Ahora sí, adrelante.

SE HA BEBIDO TRES

– Mami quiero chichí.
– Que no Benito.
– Mami, mami quiero chichí.
– Que no.
– Mami quiero chichí.
– Que no, que ya se ha bebido tres orinales hombre.

MORIBUNDA

La mujer está moribunda y el esposo le toma las manos; ella le dice:
– Mi amor, antes de morir no quiero quedarme con ese peso; la verdad es que, ¿te acuerdas de tu amigo el que trabajaba contigo el Dis-3? con él te puse los cuernos.
– Lo presentía mi amor.
– Pero no quiero morir sin contarte todo: Toda la plata que te ganabas y que se perdía de la caja fuerte, era porque nos íbamos y nos la gastábamos.
– Lo sabía mi amor.
– Mi amor ¿te acuerdas de ese amigo que una vez trajiste aquí a la casa?
– Sí mi amor.
– Con él también sucedió.
– Lo presentía mi amor.
– Mi amor ¿y te acuerdas del muchacho que nos vendía la leche?
– Sí mi amor.
– Con él también.
– Lo presentía mi amor.
– Ahora sí quiero morirme, ya no tengo más qué confesarte.
– No, no te mueras aún, yo también tengo algo que confesarte, yo fui quien te envenenó.

ESTUDIANDO

— Benito ¿usted qué hace allá encerrado en su cuarto?
— Mami encerrado estudiando porque mañana tengo un examen de orina.

LECCIONES

— Benito venga que le voy a tomar la tarea a ver, responda: ¿Qué es reflexión?
— Es una flexión repetida.
— ¿Por qué Pedro se hundió en el río Tiberíades y Jesús no?
— Ah... porque Pedro no sabía esquí acuático y Jesús sí mami.
— ¿Qué entiende usted por lengua madre?
— Lengua madre es la que hace callar a la lengua madre.
— ¿Cuáles son las tablas de multiplicar?
— Son las tablas donde usted duerme con mi papá.
— Dé un ejemplo de verbo.
— Sombrero.
— Conjúguelo.
— Yo me lo pongo.
Tú te lo pones.
El se lo pone.
— Niño ahora conjugue el verbo atorar.
— Yo me atoro.
Tú te avacas.
El se aternera.
Y todos nos tomamos la leche.
— ¿Qué es ornitorrinco?
— Ornitorrinco es un hornito colocado en un rincón.
— ¿Cuál es el aumentativo de huevo?
— Otro huevo pero con dos yemas.

ARGENTINOS

* Los argentinos no falsifican, mejoran el producto.
* Los taxistas argentinos no abusan del pasajero, no, lo ponen a prueba.

DISCUTIR

— Pero mira ¿qué es esto? todo el mundo se empeña en discutir conmigo, en llevarme la contraria porque yo siempre tengo la razón ¡ah!, ¿qué pasa?

VARIOS

— Bueno yo ya la alcanzo.
   Y golpea y sale un negro:
— Si lo alcanzo lo violo.

LA VOZ DEL PILOTO

   En el avión empieza a sonar la voz del piloto:
— Señoras y señores, todos ustedes que vienen en este avión les solicitamos mirar para el lado derecho.
Todos se voltean y miran hacia el lado derecho.
— ¿Sí alcanzan a ver esos tres puntos en la parte de abajo? Esos somos el piloto, el copiloto y la azafata; este avión se estrellará en cinco minutos.

BENITO

   Resulta que Benito tenía una fea costumbre, empezaba a criticar:

— Mami mire ese señor tan calvo hiju'emíchica, es que se le puede ver lo que está pensando.

Claro, la mamá sacó la mano y, tome pa' que lleve. Y le dice al niño:
— Eso no se hace, grosero. Hágame el favor, cuando quiera criticar a alguien, espera que se vaya y me dice.
— Bueno mami.

Después vuelven a tener visita en la casa y llega una señora con una nariz pico 'e loro soberana.
— ¡Uy, uy, mami!, ¿sí ve esa nariz?
— Ya hablaremos de ella, ya hablaremos de ella.
— ¿Señora usted viene a visitar a mi mamá?
— Sí niño, yo vengo a visitar a su mamá.
— ¿Dónde dejó las ramas?
— ¿Qué?
— Que ¿dónde dejó las ramas?
— ¿Cuáles ramas?
— Mi mamá dice que usted es ramera, yo no sé.

PALCOS

Entran al teatro la mamá y el niño, y éste empieza a caminar por los palcos, y la mamá le grita:
— Papito no se vaya a caer desde allá de los palcos a los asientos de abajo que ésos son más caros, ¿oye?

SALTÓ TODO

Hay señoras que les gusta salir emperifolladas, llenas de vericuetos, de cosas, adornos, collares, se llevan el bolso y hasta paraguas. Hay que tener cuidado con las sombrillas de esas señoras que son bien puntiagudas. Ahí está la señora que se sube a la buseta con semejante sombrilla y cuando se va a bajar la señora se la echa al hombro pero con tan mala suerte que le da en la cara a un tipo en todo el ojo. La señora se voltea y le dice:

— ¡Ay qué pena señor!, ¿le pasa algo en el ojito?
— No, por fortuna saltó todo señora.

FÓSFORO

Llegan tres tipos de los más viciosos al infierno y Satanás les dice:
— Voy a castigarlos como se merecen, voy a encerrarlos durante cuarenta años con el peor pecado que hayan cometido. ¿Usted qué fue?
— Pues yo fui mujeriego.
— ¡Ajá!, usted vaya allá con esas cuarenta mujeres durante cuarenta años.
Y lo encierran al tipo.
— ¿Y usted qué?
— Pues yo, ¡juta!, ¡hip!, yo fui bebedor toda la vi'a.
— Bebedor ¿no?, me lo encierran allá en esa bodega cuarenta años.
Y lo encierran.
— ¿Y usted qué?
— No, pues yo fui fumador.
— ¡Ah, fumador!, me lo encierran allá, eso está lleno de cigarrillos, háganme el favor y lo encierran.
Al cabo de los cuarenta años abren la primera puerta y sale un tipo todo flacuchento, con la barba hasta el piso y un reguero de chiros, ¡pero cosa bárbara! Luego se van a la segunda, abren la puerta y sale ese tipo en una soberana pomarrosa:
— ¡Ah, que viva la vida!, ¡hip!
Y luego le abren la puerta al de los cigarrillos y dice desesperado:
— Un fósforo por favor, un fósforo.

EL HIELO

El tipo salió de Bogotá y se iba por tren hasta Tocaima, no sé, hasta una población de tierra caliente, pero por vía férrea, por tren, y cuando el tipo empieza a sentir el calor, así pues, demoníaco, y empieza a sentir mucha sed; entonces llama a uno de los mozos que estaban atendiendo en el tren y le dice:

— Venga loco levánteme una cerveza.

— ¡Ah sí!, con mucho gusto, ya se la traigo.

   Le trae la cerveza.

— Pero venga loco, no mijito, ¿y el hielo?

— No hermano aquí es muy berriondo conseguir hielo.

— ¡Ay mijito!, vea tome mil pesitos hermano, consígame el hielito, sí échemele hielito.

   El tipo se va y a los cinco minutos regresa con el hielo. El tipo se toma su cerveza y calma la sed. A la media hora:

— ¡Pisst!, venga loco una cervecita pero tráigamela con hielito.

— Hermano que aquí es muy difícil conseguir hielo en un tren, loco.

— ¡Ah pues!, tráigame el hielito hermano, no sea así, tome, tome mil pesitos hermano.

   Efectivamente, le llega con su cerveza y el hielo, y así como por tres oportunidades más.

— Oiga, ¡pisst!, una cervecita pero con hielo.

— No hermano, qué pena, no puedo seguir sacándole el hielo al muerto que llevamos para Tocaima.

CAMPESINOS

AGÍTESE BIEN

— Merceditas, ¿se murió su abuelito no?

— Sí pero fue por ese jarabe que usted nos dijo, ¿no sumercé?

— ¿Cómo así que fue por el jarabe que yo le dije que se tomara?

— Sí, no ve que ahí en el frasco decía: Agítese bien antes de tomarse, y en una de esas agitadas el viejito se nos cayó, se golpeó la cabeza y se nos murió.

DIETA DE PURO HIERRO

Le dice el médico a Merceditas:
— Merceditas se murió su papá, ¿no?
— Sí, sumercé', pero eso sí fue pura culpa suya sumercé'.
— ¿Cómo que culpa mía?
— Usted me dijo que le diera una dieta de puro hierro sumercé'; no resistió sino dos varillazos y se murió sumercé'.

MURIÓ DE NOVIO

— Cuénteme Merceditas ¿de qué murió su amigo?
— ¡Ah no sumercé'!, mi amigo, eso sí pobrecito, pero es que él murió de novio.
— ¿De novio? pero si de novio nadie se muere.
— No, fue que no vio la tractomula que los despichó sumercé'.

PASTUSOS

SIN PLATA NUNCA

Consejo para todos: Cuando esté usted en Pasto y alguien le diga: Entrégueme la plata o le vuelo los sesos, déjese volar los sesos; allí se puede vivir sin sesos, pero sin plata nunca.

UN ÁRBOL

A un pastuso le sucedió un accidente, pero un soberano accidente. Resulta que se partió una pierna mientras rastrillaba las hojas del jardín, se cayó de lo más alto de un árbol.

VARIOS

EN LAS VENTAS

Le preguntaban a un conocido político aquí en Colombia:
— ¿Usted qué piensa del triunfo de César Rincón en Las Ventas?
— No me diga, ¿ya no es torero? ¿se dedicó a vender hola?

SI YO FUERA PRESIDENTE

Le dice a Benito la profesora:
— Benito usted tiene que hacer una composición sobre si yo fuera Presidente.

Y Benito lo único que hace es sentarse en la silla, sentarse en la silla y empieza a silbar, todos los chinitos empiezan a escribir la composición sobre si yo fuera Presidente y el chinito ahí sentado silbando.
— Benito usted qué está haciendo, a ver muéstreme su composición si yo fuera Presidente.
— Señorita noo.
— ¿Usted por qué no está escribiendo?
— Es que estoy esperando que llegue mi secretaria.

CAMPESINOS

UNA SOLA VEZ

— Dígame una cosa; es que estamos haciendo un censo para Colombia, dígame una cosa: ¿Se muere mucho la gente por acá?
— No sumercé', conque se mueran una sola vez ya les basta.

HUEVOS ROJOS

El campesino estaba parado a la puerta, de pronto llega un tipo en un automóvil, para, se baja y le dice:
— Niño, perdone, ¿será que aquí hay un baño?, necesito un baño.
— Sí señor, mire siga, es allá en el fondo, pero tenga cuidado con el gallo que pone los huevos rojos.
— Niño los gallos no ponen huevos.
— ¿Cómo que no? ¡Bájese los pantalones y verá!

POR G

— ¡Ay mire qué niño tan bonito!, no, ¡qué belleza!, venga niño, ¿usted cómo se llama?
— Señora mi nombre empieza por G.
— ¿Su nombre empieza por G? Gonzalo.
— No.
— Eh... Gustavo.
— No.
— Por G, por G, Gustavo, Gonzalo ¡eh..!, no, no doy.
— Yo me llamo Jelipe señora.

¿ES USTED CASADO?

— Muy bien señor, usted quiere que yo le dé el puesto de jardinero, dígame señor ¿es usted casado?
— Sí señor.
— Con una mujer.
— ¡Ay hombre!, pues como todo el mundo.
— No, mi hermana se casó jue con un hombre.

BARCO SE HUNDE

Comentándole una noticia, que está leyendo la señora de la casa, a la muchacha del servicio:

— ¡Ja!, ¿cómo le parece esto?: Barco con veinte caballos de fuerza se hunde.

— ¡Ay sumercé'!, cómo habrán sufrido los caballitos, ¿no sumercé'?

UNA DENUNCIA

— Buenas sumercé', ¿aquí es la estación de policía?

— Sí señora, aquí es la estación de policía, cuénteme.

— Sumercé' es que vengo aquí a poner una denuncia y jue que un tipo se aprovechó de yo, me violó sumercé' y jue un empleado público sumercé'.

— ¿Y usted cómo sabe que fue un empleado público?

— Umm..., todo me tocó hacerlo a yo sumercé'.

VARIOS

VARADO

Varado el tipo y no había quién le empujara:

— ¡Ave María!, este carro con lo que pesa, ¿yo ahora cómo lo empujo?

De pronto venían dos negros caminando, pero fornidos, y el tipo:

— ¡Ah no!, listo; yo los convenzo que les voy a dar $ 5.000 a cada uno y que me empujen esta vaina.

Efectivamente el hombre:

— Oigan negritos ¿me ayudan aquí a empujar este carro?

— Claro, sí, con mucho gusto.

Los negros, grandísimos, empiezan a empujar y empieza el tipo con el carro a prenderlo y nada.

— Empujen hermanos que a cada uno le voy a dar $ 5.000, empujen.

Y los negros empujen y el tipo prenda el carro hasta que medio arrancó y les dice:
— Hasta luego negros hijos... y se le volvió a apagar.

¿ME PUEDO QUEJAR?

— Buenas tardes señor.
— Buenas tardes.
— Hágame un favor, ¿este es el Departamento de Quejas?
— No señor, el Departamento de Quejas queda en esa esquina.
— Gracias.
— Buenas tardes señor.
— Buenas tardes, ¿este es el Departamento de Quejas?
— Claro, este es el Departamento de Quejas.
— ¿Me puedo quejar?
— Claro que sí.
— ¡Ayyy!, ¡Ahh!, ¡Ayyy!

SIDA

¿Por dónde entró el Sida a América? A Estados Unidos llegó por Detroit. Luego pasó por Culiacán, México, se quedó en Anolaima y ahora está en Mariquita.

RESTAURANTE

El hombre en el restaurante llama al mesero y le dice:
— Mesero venga para acá, mire venga, acérquese; a mí me gusta comer bien mijito, comer bien, a la altura. Tome estos $ 1.000 y dígame qué me recomienda.
El tipo le recibe los $ 1.000 y se le acerca al otro y le dice:
— Otro restaurante.

¿HABLAR CON GRACIA?

Suena el teléfono y contesta el hombre, así como con voz finita:
— ¡Ah loco!, gracias; hágame un favor, ¿podría hablar con Gracia?
— ¡Ay! bueno gordo; pero tienes que poner la voz más finita y romántica, ¿sí?

CABALLO DE CARRERAS

— Muy bien señor, usted está detenido acá porque dizque usted le vendió a este señor que está acá un caballo de carreras.
— ¡Ja!, permítame que me ría; ¿un caballo de carreras?; tráigame ese caballo.
— Señor, pero si yo se lo juro que ese caballo es de Carreras.
— Tráigame ese burro añejo que tienen allá, ¿cuál caballo de carreras?
— Señor, yo le juro que ese es un caballo de Carreras.
— ¿Cuál caballo de carreras?, mire ese burro, mírelo, mírelo, da pesar hasta mirarlo, ¿cómo me va a decir usted que ese es un caballo de carreras?
— Mire señor yo le juro que este es un caballo de Carreras; Carreras, Carreras, ¿sí o no que el caballo es suyo, cierto?

NEGROS

Están los negros en toros y de pronto el negro codea a la negra y le dice:
— Negra tenete duro porque le van a dar la vuelta al ruedo.

VARIOS

PATO SALVAJE

Un tipo llega a un restaurante y dice:
— Mesero venga para acá, ¿tiene pato salvaje?
— No señor, pero si quiere le emberracamos una gallina.

DESAYUNANDO

La señora está alimentando a su criatura, saca su pache-quita y estaba dándole alimento a su niño recién nacido, y se le acerca un borracho:
— Señora, señora, ¡juta!; dígame una cosa, ¿el niño está desayunando cierto?
— Sí señor, el niño está desayunando.
— ¿Y él qué come?
— Pues aparte de leche materna, pues también toma jugo de naranja.
— Perdón señora, y ¿cuál de las dos es la de naranja?

IGLESIA

Va el borracho, ¿dónde meterse?, pero como eran las 6:00 a.m. lo único que encontró abierto fue la iglesia donde estaban dando la misa y estaban en la hora de la hostia. Llegó el borracho y empezó a hacer fila:
— Aquí deben estar dando aguardiente, ¿cierto?, ¡ay qué pomar-rosa la que tengo!
Cuando llegó donde el cura, el cura sacó la hostia y se la iba a entregar:
— Qué pena padre, yo al Alka-seltzer no le jalo, no señor.

BOTELLAS

El borrachito estaba parado en un puente y empezó a gritar, pues por debajo del puente, lógico, pasaba el río y empieza a gritar el borracho:
— ¡Una ballena! ¡Dios mío!, ¡una ballena!
Y todo el mundo salió corriendo, y de pronto se le acerca un policía.
— ¿Cómo así que una ballena mijo?, no, en un río no va a caber una ballena.
— No, es que se me cayeron dos botellas de guaro, una está vacía y la otra va llena.

ZURDO

Revienta la puerta de la oficina el pastuso que trabajaba en la empresa:
— ¡No puede ser, no puede ser!, ¡renuncio y verán que conmigo no van a jugar, renuncio y renuncio!
Alguien se le acerca y le dice:
— Oiga pastuso tranquilícese, ¿qué le pasa?
— Es que imagínese, llevo veinte años trabajando aquí en esta empresa, el patrón siempre me había dicho que yo era la mano derecha de él, y hasta hoy me dí cuenta que el degenerado ese era zurdo.

PASTUSITO

El pastusito llevaba como tres años perdido en una isla, era un náufrago y había llegado ahí a la isla; y resulta que no tenía diversiones, absolutamente nada para hacer, de pronto llega una náufraga, una mujer, y ella muy sensual, una rubia muy divina, muy exuberante y todo y pues ella también dice:
— No pues, aquí me figuro con el pastuso.
Empieza ella a insinuarse, a ponerse prendas íntimas, pues muy sugestivas, y el pastuso como si nada en esa isla pues, como

si nada hubiera pasado. Pasaron tres meses, hasta que la rubia ya decidida toma la palabra y le dice:

— ¿Ay oiga usted después de tres meses de estar aquí no se piensa divertir conmigo?

— No me diga que trajo un ajedrez mijita.

AYUDANTE

Era ayudante de camionero el pastuso, y el camionero le dice:

— Oiga vea ¿por qué no hace una cosa?, váyase para la parte de atrás, y vea si las luces intermitentes están prendidas.

Y se va el pastuso y empieza:

— Ahora sí, ahora no, ahora sí, ahora no.

HIPERBOLES

* Es más fácil golear al América en el "Pascual".
* Es tan fácil como robar a una anciana borracha.
* Es más fácil sacarle capul a una calavera.
* Tiene la boca tan grande que no usa aretes de cobre porque se envenena.
* Tiene la boca tan grande que no usa aretes de metal porque los oxida.
* Tenía la boca tan grande que una vez se le hizo la boca agua y se ahogó.
* Tenía la boca tan pequeña que para decir tres decía uno, uno, uno.
* Oiga, la muchacha es tan escrupulosa que en el momento de arrebato le dijo a su amante: Te juro que eres el tercero.
* Oiga, tan diabético que estando en plena luna de miel se murió.

* Tan ardiente la señora que al llegar su marido siempre encuentra cenizas en la cama.
* Oiga, venden unos sesos de bul tan frescos, tan frescos, que hasta hace media hora estaban pensando.
* Oiga, tan impúdica la gallina que se la pasa junto a la puerta del asadero.
* Es tan enano que el licor no se le sube sino que se le estanca.
* Es tan chiquito que cuando estornuda levanta polvo.
* Es tan chiquito que cuando escupe tiene que empinarse para no ahogarse.
* Tan chaparra que para llegar al suelo tenía que subir por escaleras.
* Tan enano que sus pasiones siempre eran bajas.
* Tan lento el cartero que cuando llevaba las cartas ya eran documentos históricos.
* Tan distraído que todas las noches le daba un beso al reloj y a su mujer, cuerda.
* Tan ingenua la señora que vio a la cigüeña y la roció con Baygón.
* Tan tímido que antes de desvestirse voltea el retrato de su novia.
* Fue tanto el susto que empezó rezando y terminó cantando el Himno Nacional.
* Tan distraído que le dio el abrazo a la novia y besó al cura.
* Tan pesimista que cuando se le declaró a la novia le dijo: ¿Quiere ser mi viuda mija?
* Dicen que era tan distraído que se la pasaba en el espejo preguntándole: ¿Oiga, en dónde he visto yo esa cara antes?
* Tan desconfiado el señor que cargaba la puerta de la casa para que nadie se la forzara.

BORRACHOS

ME BEBÍ EL WHISKY

— Compadre, ¡juta!, yo compadre, yo, imagínese que el otro día llegué a mi casa hermano, y resulta que había una prima mía que estaba pasando vacaciones en mi casa, y ella me abre la puerta y estaba en un baby doll transparente. ¡Qué mujer tan linda!, y en la mano tenía un vaso de whisky, y yo digo: ¿Uy qué es esto? y arranco detrás de ella, y ella insinuándome que subiera al cuarto y yo arranco detrás de ella y yo detrás de ella y subimos al cuarto y ella cerró la puerta.
— ¿Y qué pasó compadre?
— No me aguanté más mano, me bebí el whisky.

VOLVIÓ A LLAMAR

Borracho con la cara quemada.
— ¿Qué le pasó mijo?
— Jota, yo estaba ayer tomándome unos traguitos y mi mujer estaba planchando a mi lado y resulta que sonó el teléfono y yo cogí la plancha y alóó... y me quemé.
— Pero hermano viene quemado por el otro lado.
— Ah es que el tipo que me llamó la primera vez me volvió a llamar.

¿YO NO SOY COLOMBIANO?

— Oigame señor, mire deje de tomar tanto, mire que el licor mata cada año un millón de norteamericanos.
— ¿Y qué? es que yo no soy colombiano o qué?

CUANDO PAGO TODOS PAGAN

El borracho entra a la taberna y pega soberano grito:
— ¡Cuando bebo todos beben!
Y claro, todos dicen ¡ay el borracho va a gastar!, empiezan a regarse, a pedir, se pegan todos una soberana rasca y llega el borracho y pega el grito otra vez y dice:
— ¡Cuando pago todos pagan!

EL HORNO MICROONDAS

El borracho llega a la casa todo vuelto una miseria. Se sienta donde él cree que es la sala pero está en la cocina y pega soberano grito:
— Mamita, mamita hay que hacer arreglar la pantalla del T.V. porque está toda roja.
— Bobo ese es el horno microondas.

NO PAGUE EL RESCATE

Llevaba quince días perdido de la casa el borracho, quince días.
— ¿Y ahora qué voy a hacer? ¡juta!, yo seguro que, yo, yo me voy para la casa y me van a agarrar a palo, quince días. Piense, piense Chepe, piense.
El tipo piense, piense, hasta que se le vino una idea a la cabeza.
Llamó a la casa:
— Mamita, mamita, no pague el rescate que ya me escapé.

YO SÍ

El borracho está en la taberna; de pronto se le acerca una mujer de esas bien feas y le dice:
— Mamita el trago la hace ver bonita.
— Señor yo no me he tomado un solo trago.
— Usted no pero yo sí mi amor.

¿DE QUÉ CIUDAD?

Tarde de la noche, borracho caminando por la calle:
— Discúlpeme señora, ¡juta!, ¿usted, usted ¡hip!, usted será tan amable de decirme dónde estoy?
— Claro señor, usted está en la Plaza de Bolívar.
— No, eso ya lo sé, ¿pero de qué ciudad señora?

CONFERENCIA

Señoras y señores vamos a presentar la conferencia para alcohólicos anónimos, voy a leer todos los puntos que tienen que ver con esta conferencia de alcohólicos anónimos. A las 2:00 de la tarde hablaremos del alcohol y sus enfermedades. A las tres de la tarde hablaremos sobre el alcohol en la sangre. A las cuatro de la tarde hablaremos del alcohol en el páncreas. A las cinco de la tarde tomaremos el tema del alcohol en el hígado. Y a las siete de la noche se abre el bar.

BORRACHOS

Dos borrachos en el bar:
— Compadre, perdone, ¿se nota que estoy borracho?
Y el otro le dice:
— No más por la vomitada compadre.

ESTÁ QUE SE CAE

Salen de la taberna y uno le grita al otro:
— ¡Ay!, está que se cae de borracho, está que se cae de borracho.
Y el otro le dice:
— ¿Sí, qué fácil se ven las cosas desde el piso no? ¡Claro!

CARGADO

— Oigame margarito chandoso, rata de alcantarilla, borracho, pecueco, oíste, ¿vos es que acaso no prometiste que jamás ibas a pisar una taberna?
— Mamita, y lo estoy cumpliendo mamita, ya sabe que yo entro con las manos y me sacan cargado.

CANIBALES

DOS CANÍBALES:

— Hola, yo ayer te vi con una mujer.
— Ah sí, ese era mi almuerzo.

EL POSTRE

Un evangelizador llega a tierra de los caníbales, y éstos lo primero que hacen es echarle mano y mandarlo a la olla; y el tipo:
— No, no hermano, a mí no me pueden comer hermano, que yo soy diabético.
Y entonces lo reservaron para el postre.

LECCIONES A BENITO

— A ver Benito, venga para acá que tengo que tomarle la lección.
— A ver mamita.
— A ver Benito, ¿en cuántas partes se divide el cráneo?
— Eso depende del machetazo.
— ¿Qué sabe usted de Bolívar?
— Que es el padre de la patria.
— ¿Me puede nombrar alguna de sus conquistas?
— No, a yo no me gusta meterme en lo que no me importa.

— ¿Cuáles fueron las cinco repúblicas que libertó Bolívar?

— Europa, Asia, Africa, América y Oceanía.

— ¿Cuál es el mejor tiempo para coger las peras?

— Cuando no está el celador de la finca.

— ¿Podría usted enumerarme las seis principales batallas de Alejandro Magno?

— Sí claro, una, dos, tres, cuatro, cinco y seis.

— A ver niño, ¿cómo se llama el que mata a su padre y a su madre?

— Se llama huérfano.

— ¿Cómo se llama el padre de Simón Bolívar?

— Simón Templar.

— ¿Para qué sirve el fósforo?

— Pues pa' prender candela.

— ¿Qué entiende usted por Incora?

— Instituto colombiano de rateros.

TIPO DILIGENTE

Llega el tipo a la oficina (desperezándose).

— Buenos días señor, dígame una cosa usted, ¿aquí no, no es el que necesita un tipo diligente, despierto pa' que sirva de mensajero? Es que por coincidencia yo cogí el periódico y me dio una pereza leer, pero al fin y al cabo leí y ahí decía que usted necesitaba un mensajero que fuera (bosteza) bastante diligente y yo venía a ver si usted me daba el puesto.

— Hombre hermano, pero mire cómo se viene usted vestido en pijama, todavía con el pelo despeinado, vuelto una miseria, bostezando, todavía dormido hermano, ¿no le da pena?

— No, a mí no me da pena porque el puesto es pa' mi hermano que se quedó durmiendo en la casa.

CON LOCOMOTORA

— Oiga Ramiro ¿por qué lo echaron de los Ferrocarriles Nacionales?
— No, por entrar a la oficina del jefe.
— ¡Ay hombre! ¿pero por eso lo despidieron?
— No, es que entré con locomotora y todo hermano.

BUSES

SÚBASE PUES

La señora, una señora de esas gordas, gordas, de doble transmisión, se va a subir al bus, ¿no?, pero al momento que va a subir al bus, se manda toda la gente porque el bus está desocupado; en el momento en que va a subir el primer pie, pues no le da la falda, tiene una falda supremamente estrecha, entonces no alcanza a subir el pie bien hasta el primer estribo del bus. Entonces se manda la mano atrás y se zafa uno de los botones de la parte de abajo de la raja de la falda y vuelve a subir el pie, pero no, nada, no logra colocar el pie encima del estribo; entonces se manda la mano otra vez hacia atrás y se desabotona el segundo botón y vuelve a subir el pie al estribo, pero no, nada, nada, y se manda otra vez la mano hacia atrás y vuelve a soltar el último botón hasta que un señor le dice:
— Oiga señora súbase pues ¡y no me suelte más los botones de la bragueta, hombre!

ME ESTÁ PISANDO

Un tipo gordo, pero soberanamente gordo, va cogido de la varilla del bus y un flaquito chiquito al lado le pregunta:
— Señor perdón, ¿usted dónde se baja?

– ¡A usted qué le importa, deje de ser sapo!
  Más adelante.
– Señor perdón, ¿usted dónde se baja?
– ¡A usted qué le importa hermano, deje de ser sapo, no sea metido, lambón!
  Cinco cuadras más adelante
– ¡Ay señor por Dios!, ¿dígame usted dónde se baja?
– No sea sapo, ¿por qué me pregunta tanto eso?
– Es que me está pisando, mano.

BANANITOS

Subió una muchacha con tres bananitos que le llevaba a su familia, pero el bus ibá repleto. Pasa una señora gorda, daña el primer bananito y la muchacha, ¡ay Dios mío!; se fue para la parte de atrás y pasó un gordo y fufff, el segundo bananito; entonces ella se lo mandó para la parte de atrás en la espalda, y mantuvo su bananito bien cogido para que no le fueran a dañar el último; ya se iba a bajar, cuando le dice un señor:
– Señorita ¿será que me puede soltar que es que yo me bajo por acá?

CORRIENDO

El pastuso se sube al bus y lo primero que va a hacer es pagar el pasaje y el conductor le dice:
– Váyaseme corriendo, váyaseme corriendo.
Y el pastuso se bajó y sí, salió corriendo.

META LA MANO

El viejecito llega a la tienda y le dice al dependiente:
– Señor, hágame el favor y me vende comida para gatos.
– A ver señor, me da pena con usted, no le voy a vender comida para gatos porque yo sé que usted en su casa no tiene gatos.
– No le vendo comida para gatos y punto.

Al otro día llega el viejecito y le dice:
— ¿Señor me puede vender comida para perros?
— Mire señor qué pena con usted pero no le voy a vender comida para perros porque yo sé que usted en su casa no tiene perros, no le vendo comida para perros.
El viejecito llega al otro día con una bolsa negra y le dice:
— Señor ¿por qué no hace una cosa?: Meta la manito aquí en la bolsa negra.

El tipo mete la mano y siente como una greda caliente, toda babosa y le dice el viejecito:
— ¿Ahora sí se da cuenta que necesito papel higiénico o no?

PAISAS

SÍ HAY ORO

San Pedro estaba cansado porque el cielo estaba plasmado, no, digo plagado, es plasmado de paisas, por todos lados había paisas, y entonces san Pedro estaba pensando: ¿No, cómo es esto pues? y entonces preciso llegó un paisa a golpear las puertas.
— Vea, que es que yo voy a entrar al cielo.

Y le dijo san Pedro:
— Qué pena mijo pero esto está lleno de paisas y ya no admitimos un solo paisa más aquí en el cielo, así que le toca allá en el infierno.
— ¡No papá, pero cómo así!, no, venga, ¿cómo así san Pedro?, ¡no papá!, ¿cómo me vas a fallar?, ¡no hombre, ah papá!, hincha del Nacional, yo merezco el cielo, ¿qué le pasa a usted?

Entonces san Pedro se quedó pensando y le dijo:
— Mire mijo, si usted es capaz de sacarme toda esta tracalada de paisas para otro lado, que se vayan del cielo, listo, usted puede entrar.
— A bueno, ¡listo papá!

El tipo, preciso, empieza a regar la bola:

— Oíste, en el infierno hay oro; oíste, en el infierno la mano de oro que hay...

Y al otro día están saliendo todos los paisas, con morrales, ollas, bultos, de todo, se van todos para el infierno y el único paisa que queda en el cielo es el tipo. Cuando a los tres meses el tipo está armando maletas y va saliendo del cielo, entonces lo llama san Pedro:

— ¿Qué le pasa mijo, para dónde va?

— Noo, es que se han pasado tres meses y esos berracos no han vuelto, a la fija que en el infierno sí hay oro.

NOS HA VENDIDO

Al paisa lo acusaron de un robo que él supuestamente no había cometido y lo pusieron a declarar, pero usted sabe cómo son los paisas, que hablan hasta por los codos. Después de cinco horas el policía le dice al teniente:

— Mi teniente noo, mire no más hombre, mire el paisa, no nos ha dicho nada en tantas horas de interrogatorio que lo tenemos ahí; pero eso sí, ¡ya nos ha vendido tres grabadoras, cuatro lavadoras y cinco T.V. hermano!

VARIOS

¿DE QUÉ SE EXTRAÑA?

El hombre se mete a bañarse al mar y cuando sale le dice a una rubia empapadita que está al lado de él:

— Señorita ¿quiere acostarse conmigo?

— ¡Ay, ay, ay!, ¡qué desgraciado usted, animal!

— ¡Pero cómo es!, ¿de qué se extraña si nos acabamos de bañar juntos, mija?

¿NO LE GUSTA LA PIZZA?

— Eh negra, ¿por qué no hacemos una cosa esta noche?, vamos a una pizzería y nos comemos una pizza gigante y luego nos vamos a un apartamento y pasamos toda la noche juntos.
Si la muchacha hace mala cara, entonces usted le pregunta:
— ¿Cómo así, es que no le gusta la pizza o qué mijita?

¡QUÉ NIÑO TAN LINDO!

— ¡Ay, tan lindo este niño! Haber niño venga adivine cuántos años tengo yo.
— Haber señora, por su peso, unos quince años.
— Hay tan lindo.
— Por los ojos que tiene unos quince años.
— Hay tan hermoso este pela'o.
— Por la boca que tiene otros quince años.
— ¡Hay no, qué niño tan lindo!
— Por el cuerpo que usted tiene otros quince.
— ¡Hay es que es tan divino!
— En total sesenta años.

PERITONITIS

— Vea señor doctor yo vengo a reclamar los exámenes de mi hijo, pero eso sí, de una vez le digo, me parece tan raro que él esté enfermo porque es un muchacho tan estudioso, es perito en abogacía, es perito además también en arquitectura, es perito en doctorado, él es perito en todo.
— Precisamente señora, lo que su hijo tiene es peritonitis.

COMPLEJO

— ¿Doctor qué hago? mi mujer sufre de complejo de inferioridad.

— Ah y usted viene a que yo se lo quite.

— No, no, a que me diga cómo se lo mantengo por siempre.

ME PARECE UNA COCHINADA

— Doctor yo sólo vengo a hacerle una pregunta: ¿Será que yo puedo hacer gárgaras por la mañana con diarrea?

— Ah, pues a mí me parece una cochinada, pero si le gusta...

DESENGRÁNELA

— Doctor tengo a mi mujer bastante enferma en Granada.

— Desengránela y la trae mijito.

EL BOTÓN BUSCA EL OJAL

— ¡Ay doctor, qué hago!, el niño se acabó de comer un botón.

— Tranquila mi señora que el botón busca el ojal.

ME DEBEN TRES

— Verá doctor, yo lo mandé llamar a usted porque es que resulta que la muchacha del servicio amaneció como enferma, no quiere levantarse de la cama, por favor doctor vaya mírela.

El doctor va.

— Mire doctor la verdad es que no es que yo esté mala, lo que pasa doctor es que a yo me deben tres meses, sumercé', acá en la casa, entonces yo me voy a hacer la enferma por el día de hoy.

— Bueno mijita, entonces córrase, hágase pa'llá que a mí me deben tres consultas.

SE ME OLVIDAN LAS COSAS

— Doctor usted tiene que ayudarme con mi problema; desde hace algún tiempo vengo sufriendo de algo muy raro. Imagínese, se me olvidan las cosas y me da un mal genio...
— ¿Desde cuándo?
— ¿Desde cuándo qué? ¡gran imbécil!

CACHORRITO

— Doctor ayúdeme con mi problema.
— Haber señor, ¿qué le pasa?
— Doctor, imagínese que me estoy creyendo perro.
— ¡Ajá!, se cree perro, ¿y desde cuándo usted se cree perro?
— Desde puro cachorrito doctor.

AHÍ ESTÁ EL TONEL

Cosa rara, al consultorio va entrando un campesino con un tonel bastante grande a las costillas, lo descarga al lado del consultorio y dice:
— ¿Busté se acuerda de yo?
— Sí, sí, sí, usted, me imagino que, ah, sí, sí, sí, ya me acuerdo de usted.
— Sí sumercé', busté fue el que me dijo que guardara la orina después de tres meses; pues aquí se la traigo, ahí está el tonel.

LO ESTÁN

— Doctor usted tiene que ayudarme con mi problema.
— Haber, relájese y cuénteme qué pasa.
— Es que mi mujer, mi mujer no se la quiere pasar sino haciendo el amor a toda hora.

— Oiga pero mucha gente estaría contenta de eso.
— No, y es que lo están doctor, lo están.

¿SOBREVIVIÓ?

— Señor su esposa lo acusó de malos tratos.
— ¡Cómo así! ¿sobrevivió?

NO SE COMA LAS EDES

— Vea señor, yo lo mandé llamar porque resulta que su hijo se come las erres. Por ejemplo si va a decir carro, no dice carro sino que dice caro y yo ya estoy cansada, mejor dicho yo qué no he hecho con ese niño.
    Y se voltea el papá y le dice:
— Benito, este pendejo, bedaco, le he dicho que no se coma las edes.

NO ES BUENO DECIR MENTIRAS

— Benito venga para acá.
— ¿Qué quieres papi?
— ¡Ajá!, cuántas veces le he dicho que no es bueno decir mentiras; ¿cuándo me ha escuchado a mí siquiera una mentira?
— Papi lo que pasa es...
— Lo que pasa es que nada. Hágame el favor, que sea esta la última vez que yo lo pillo diciendo mentiras, ¿oyó?
    Tocan la puerta: toc, toc.
— Vaya a ver, abra la puerta, y si es un cobrador dígale que no estoy, hombre.

BENITO AL PAPÁ

    Golpean la puerta y entonces el papá le dice a Benito:

— Vaya hombre y mire a ver quién es; si es un cobrador dígale que no estoy.
Claro, efectivamente es un cobrador, y Benito dice:
— Señor mi papi no está.
— ¡Ja!, no me diga mentiras, yo sé que su papá está.
— Mire señor, que mi papá no está.
El niño entra a la casa:
— Papi, papi, ese señor no quiere creer que usted no está.
— Bueno mijo, entonces hágalo entrar a ver si lo convenzo yo.

¿CÓMO SE IBA A EDUCAR?

— Papi, papi, ¿quién descubrió América?
— Mijo no sé.
— Papi, papi, ¿quién descubrió la ley de la relatividad?
— Mijo no sé.
— Papi, papi, ¿quién fue Isaac Newton?
— ¿Isaac Newton?.. mijo, no sé.
— Papi, papi, ¿cuántos barriles hay en una tonelada?
— Umm, oiga mijo no sé.
— Papi, ¿a usted le molesta que yo le pregunte?
— No mijo, cómo se le ocurre, ¿si no me preguntara cómo se iba a educar, mijo?

HALCONES

Dos halcones están parados en la cumbre, en lo más alto de un nevado. De pronto pasa un jet, y el uno codea al otro y le dice:
— Hermano ¿si vio ese pájaro cómo volaba de rápido?
Y el otro le dice:
— Hermano, ¿a usted no le pasaría lo mismo si le fueran quemando las plumas del rabo?

LA HORMIGUITA

Resulta que la hormiga macho estaba enamorado de una elefanta, pues bueno, siempre le proponía:
— Oiga, ¿nosotros cuándo vamos a tener una relación?
Y la elefanta no le paraba bolas a la hormiguita macho. Hasta que un día la elefanta accedió a la petición de la hormiga macho. Así sucedió, están haciendo el amor y de pronto de la palmera, de lo más alto de una palmera le cae un coco en la cabeza a la elefanta y empieza la elefanta:
— ¡Ay, ay, ay!
— Y le dice la hormiguita macho:
— Ay perdón mi amor, ¿te lastimé?

CURAS

Tres curas están sentados a la mesa y hay un pollo asado, sabroso, delicioso, y un gamincito desde afuera estaba mirando:
— ¡Uuuy!, será que éstos, éstos, como son curas, ¿me tienen que dar un pedacito a mí, siquiera?
De pronto el primer cura corta un buen pedazo de pollo y dice:
— Esto me lo como en nombre del padre.
El segundo también saca su cuchillo y corta una buena rebanada de pollo y dice:
— Esto me lo como en nombre del hijo.
El tercero levanta su cuchillo y el gamín aparece y dice:
— ¡Ay jue'pucha!, el que me llegue a tocar a mí el espíritu santo.

BESO

— Ala mijo, ¿y usted por qué viene con la cara toda quemada, mire los labios todos quemados, qué le pasó?
— No, imagínese pues que mi suegra se quemó con la plancha.

— Bueno mijo, pero si la suegra se quemó con la plancha, ¿usted por qué tiene los labios quemados?
— No, al darle el beso de agradecimiento a la plancha.

MIS OCHENTA

Suele suceder que hay algunos amigos que no son muy buenos para cancelar las deudas, eso en todas partes del mundo se ve. Ahí está por ejemplo un tipo que le debía $ 80.000 a otro ya desde hace un año; se encuentran en la calle y el otro le pega el grito y le dice:
— Oiga hermano, ¿qué hubo de mis ochenta?
Y el otro:
— Happy birthday to you.

AMIGOS

Pregunta entre amigos:
— Oiga hermano, ¿verdad que usted es muy susceptible?
— ¡Noo!, ¡y déjeme en paz porque me va a volver loco hola!

SI USTED LO DICE...

Otra pregunta entre amigos:
— Ala mijo, ¿es cierto que tú eres muy débil de carácter?
— Pues hermano, si usted lo dice, pues sí.

AMIGAS

Ahora conversación entre amigas. Una le dice a la otra:
— Oíste, ¿será que yo puedo confiar en tu marido?
— Claro mija, yo le he confiado toda mi vida.
— Sí, pero es que yo le voy a confiar algo de valor.

PUEBLO PACÍFICO

El tipo acababa de llegar al pueblo, lo recibe el Alcalde y le dice:
— Eso sí señor, le garantizamos que este es un pueblo muy pacífico.

En ese momento va pasando un entierro.
— ¡Ja! sí, muy pacífico, ¿y entonces el del entierro qué?
— Aah, el sepulturero se murió de hambre, hombre.

UNA ORGÍA

Se encuentran dos españoles y uno le dice al otro:
— Diantes, te quiero invitar esta noche que voy a tener en la casa una orgía.

Y le dice el otro:
— No fregués, ¿que me vas a invitar a una orgía? ¡Diantre!, eso sí va a estar muy bueno.
— Oíste ¿y cuántos van?
— Mano, la verdad es que si tú vas con tu mujer vamos a ser tres ¿eh?

METRO DE TELA

¡Muy linda la chica, para qué! Entró al almacén, pero era una de ésas que llaman la atención, que hacen parar el tráfico. En el almacén le dice al dependiente:
— Señor, perdón, ¿a cómo el metro de esa tela?

Y el tipo, bastante gallinazo, le dijo:
— El metro vale tres besos mi amor.
— Entonces hágame el favor y me da quince metros. Abuelita, venga págale acá al señor.

79

ABRIGO

— Hágame un favor señor, ¿cuánto vale ese abrigo que está allá?
— Vale $ 20.000.
— ¡Ay!, ¿será que no tiene alguito más caro?
— No, si quiere lléveselo por $ 70.000.

ACEITUNAS

Un perro entra a la taberna:
— Tac, tac, tac, mesero por favor venga. Eh, ¿si es tan amable usted mesero me puede atender? Eh, ¿me vende un Martini con tres aceitunas por favor?

Todo mundo se quedó con los ojos abiertos; un perro entra a la taberna, ordena un Martini con tres aceitunas, ¡claro!; el perro se toma el Martini y se va. Se le arrima un curioso y le dice al tipo que estaba atendiendo en la taberna:
— Oigame señor, ¿a usted eso no le pareció extraño?
— ¡Ah no!, nada extraño, aquí siempre le ponemos tres aceitunas a los Martinis.

TURCOS

MAJITOS

Los del Medio Oriente, los majitos, los paisanos aquellos están hablando y le dice uno al otro:
— Ole, caramba paisano Benjamín, que tu hija nunca ha trabajado y eso me tiene bastante preocupado porque acuérdate que a los hijos hay que ponerlos a producir.

Le dice el otro:
— No mi hija sí está trabajando, en este momento está de cantante y mañana debuta.

Y le dice el otro:
— De buta o de lo que sea, pero que trabaje.

MANDAMIENTOS

Siempre ellos tienen fama de tacaños, de supernegociadores. En alguna oportunidad iba Moisés caminando por el desierto y entonces Dios se lo encuentra y le dice:
— Moisés ¿estarías interesado en algunos mandamientos?
— A ver padre ¿y cuánto cuestan?
— No, no, la verdad es que son gratis.
— Ah, bueno, entonces déme diez.

CRISTO

Ellos no creen mucho en Jesucristo, la verdad es que no tienen esas creencias religiosas, creen más en Alá, Alí, ¡qué sé yo! En cierta oportunidad entró un tipo de éstos a una cacharrería y se quedó mirando un Cristo:
— Hágame un favor señor, ¿cuánto vale ese Cristo que está colgado allá en la pared?
Y le dice el tipo que estaba atendiendo:
— Pues hombre, vale $ 60.000.
— ¡Ajá!, ¿y cuánto vale sin el acróbata?

VARIOS

NO PA' LLAMARLA IMBÉCIL

La señora le recrimina a la muchacha del servicio:
— María cuando vio que la leche se estaba regando ha debido llamarme, imbécil.
— Yo le tengo confianza señora pero no pa' llamarla imbécil.

RECIEN CASADO

Bastante defraudado el tipo porque se acababa de casar y su mujer no sabía cocinar en absoluto, no sabía preparar un solo plato. Un amigo se lo encuentra y le dice:
— Mijo tranquilo, cálmese. Haga una cosa, cómprele un libro de cocina; vea, en una semana, yo sé, va a ver.
A la semana se encuentran los dos amigos, otra vez con esa cara.
— ¿Qué le pasó mijito?
— Ya cocinó algo.
— ¿Y qué pasó mijito?, le compraste el libro de cocina...
— ¡Ja!, quemó la comida y quemó el libro de cocina.

SALIÓ VOLANDO

El hombre llega a pedir empleo en un circo y le dice al gerente:
— Pues señor, ya ve, mi número consiste en imitar pájaros.
— Imitar pájaros, imitar pájaros, no, no me sirve.
— Ah bueno señor, y salió volando por la ventana.

HIPERBOLES

* Tan lenta la señora que dio a luz y a los cinco años dio a luz a su gemelo.
* Tan pesimista que cuando despertó no volvió en sí sino en no.
* Tan inconforme que en las playas nudistas se imaginaba a las mujeres vestidas.
* Ese tipo es más optimista que un candidato a la Presidencia.
* Está más emproblemado que un Algebra Baldor.

* La señora habla tan rápido que una vez se salió del tema y se mató.
* Tenía la cabeza tan grande que cuando le pegaron un martillazo, no se murió del golpe sino del ruido.
* Tenía tan grande la cabeza que su retrato para cédula lo sacaron en panorámica.
* Oiga, tan grande la cabeza, tan grande que los peluqueros antes de empezar a cortar el cabello tenían que hacer una expedición de reconocimiento.
* Esa muchacha tiene las pestañas tan grandes, tan grandes que cuando necesita barrer la casa solamente mira para abajo.
* Esa muchacha tenía la mirada tan penetrante que donde miraba dejaba marcado.
* Ese tipo es tan activo como una madre buscándole marido a su hija jorobada.
* Tan rápido su crecimiento, que hace ruido al crecer.
* El tipo tenía un dolor de estómago tan duro, tan duro que se retorcía tanto al bailar como una lombriz con ataque de cosquillas.
* Tan activo que en las noches no caía rendido sino triunfante.
* Tan rápido que siempre llegaba antes de salir.
* Más contento que un marido recién divorciado.
* Ese tipo es más generoso que un escote.
* Más generoso que un cheque al portador.
* Más contento que un boquinche chupando caña.
* Goza más que un bobo comiendo mocos.
* Tan alto que no cumple años sino metros.
* Tan alto que para rascarse la cabeza tenía que arrodillarse.
* Tan alto ese tipo que donde escupe deja hueco.
* Tan alto que usaba máscara de oxígeno.
* Tan pequeña la casa que sus habitantes tenían que salirse para poder sacar la lengua.

* Tan húmeda la casa que sus habitantes tienen musgo entre los dedos.
* Un cuerpo de bomberos tan perezoso, pero tan perezoso, que antes de salir a apagar un incendio, esperaban media hora para ver si llovia.

PREGUNTA

— Papi, papi, ¿le hago una pregunta?
— A ver papito hágame una pregunta.
— ¿Cómo se llama la capital de Brasil: San Pablo o São Paulo?
— São Paulo mijo.
— Ah, yo pensé que Brasilia.

EN UNA DROGUERÍA

— Señor usted es el que atiende aquí esta droguería, ¿cierto?
— Cierto niño.
— Usted es el que llega cuando uno está enfermito y le baja los pototos y le coge la cola y le aplica una inyección, ¿cierto?
— Cierto niño.
— Lávese las manos y me vende una paleta.

PALIZA

— Señoras y señores: Este niño que ustedes ven acá, desnutrido, cabezón, que parece un etíope en cuarentena, viene a implorarles por amor a Dios una monedita. Mi papá está en el hospital, mi mamá está en la cárcel, mi hermano está en el anfiteatro, a mi abuelita le dio una trombosis, quedó como un ocho, ¡buuaaa!, a mi abuelito le dio un derrame anoche, se le derramó la sopa, quedó como un chicharrón, ¡ay, ay, ay!, si ustedes no me dan una moneda, cuando llegue a la casa todos ellos me van a dar una paliza.

LA BICICLETA

Le compran al niño la bicicleta que durante mucho tiempo había añorado tener. Ustedes saben cómo son los niños cuando les da la fiebre de montar en sus aparaticos. La mamá salió a verlo, y el niño aprovechó para hacer piruetas en la bicicleta. La primera vez que pasó por el frente de la mamá:
— Mire mamá, mire mamá, sin las manos, ¡ay tan bacano!

La segunda vez que pasó:
— Mire mamá, mire sin pedalear, vea ja, ja, sin pedalear, vea, ja, ja.

La tercera vez:
— Mire mamá, mire, sin sentarme, ja, ja.

La cuarta vez:
— Mire mamá sin muelas ¡buuaaa..!

ESO DE FUMAR

— Papi, yo le recomiendo porque eso de fumar ya está pasado de moda, no fume más.
— Mijo usted sabe que yo nunca he fumado.
— Mano, deje de fumar.
— Mijo yo nunca he fumado.
— Sí yo sé que usted fuma.
— Que no mijo, yo nunca fumo, ¿por qué dice eso?
— Ah siempre que se quita los calzoncillos yo se los encuentro amarillos de nicotina.

LE JUEGO

— Señor ¿usted es el que vende aquí en esta tienda?
— Sí niño, a la orden.
— Dígame una cosa, ¿usted tiene bolitas de a peso?
— Sí niño, tengo bolitas de a peso.
— Le juego.

BENITO

— Benito yo ya estoy cansada de su manera de molestar, si sigue molestando lo mando a dormir esta noche con la sirvienta.
— ¿Cómo así mami, cuando uno está castigado lo mandan a dormir con la sirvienta?
— Sí señor.
— ¿Mi papá estaba castigado anoche?

CIEGO

— A ver Benito, esta es una pregunta de reacción. Dígame, ¿si le cortaran los dedos, qué pasaría?
— Me quedo ciego.
— ¿Que, qué?
— Me quedo ciego.
— ¿Cómo así, si a usted le cortan los dedos se queda ciego?
— Claro ¿porque entonces con qué me pongo los lentes de contacto?

YA EMPECÉ

En películas de pornografía, quién sabe cómo se coló el niño en el teatro. De pronto empiezan con las escenas irreverentes, pues las más duras para un niño; éste empieza a gritar:
— ¡Ay sí, ay, ay, sí, sí, sí, ay, sí, sí, sí!
Y sale corriendo del teatro, cuando va a la salida un señor lo agarra.
— Venga para 'cá, ¿qué pasó mijo, por qué salió corriendo?
— Es que mi mamá me dijo que si yo veía esas películas por-nográficas me iba a poner de pie y ya empecé.

DOS PISOS

Era la primera vez que Benito veía un par de perros reproduciéndose, y entró a la casa diciendo:
— Mami, mami, allá afuera hay un perro de dos pisos.

DOS PERRITOS MIJITO

La señora se mete a nadar al mar, pero cuando sale resulta que se le cae la parte superior de su vestido de baño y Benito está mirando; la señora se tapa.
— ¡Ajá, ajá, ja, ja, ja!, señora ¿usted qué es lo que tiene ahí?
— Dos perritos mijito.
— ¿Señora me regala el de la trompita café?

BENITO PREGUNTA

Llega embarrado a la casa Benito y le pregunta la mamá:
— ¿Qué pasó Benito, qué pasó?, mire cómo llega de embarrado.
— Mami, fue que yo me caí entre un charco.
— Ah y se cayó en el charco con el traje nuevo.
— ¿No ve que cuando me caí no me dio tiempo de quitármelo?

¿ME PRESTA SU OJO?

En alguna oportunidad llegó corriendo Benito y le dijo al papá:
— ¿Papi me presta su ojo de vidrio para salir a jugar canicas?

YO QUIERO SER COMO USTED

— Niño, en la vida hay que ser inteligente, hay que ser audaz; sólo los inteligentes podrán sobrevivir en el mañana.
— Sí papi pero es que yo no quiero ser inteligente, yo quiero ser como usted papá.

FIRMAR CON LOS OJOS CERRADOS

Benito llega a la casa con una libreta de calificaciones y un lapicero, pero entonces se manda las manos hacia atrás, como escondiendo la libreta y el lapicero, y dice:
— Papi ¿cuánto le apuesto a que usted no es capaz de firmar con los ojos cerrados?

A RECREO

La profesora por primera vez va a tocar el tema del sexo, así que empieza a hablar:
— Eh, eh, niños... eh..., resulta que las abejitas con las eh..., eh, florecitas, eh..., el polen y eh, y vuelan y hacen y...
Y se para Benito:
— Señorita estas clases de sexología yo lo sé, ¿pero será que los que ya hicieron el amor con una mujer podemos salir a recreo?

POR UN TÚNEL

— Ja, ja, Benito, mi papá trabaja en el Catastro.
— Umm, umm, eso no es nada, mi papá trabaja en un banco.
— ¿Por recomendación?
— No por un túnel.

¿QUÉ ES SIDA?

— Mami, mami, ¿qué es Sida?
— ¿Sida? cuando le terminen de hacer los exámenes le digo mi amor.

ARGENTINOS

¿OTRO MÁS?

El argentino está en la clínica y el doctor le dice:
— Señor, usted ha sufrido un ataque muy fuerte, vamos a trasplantarle un corazón nuevo.
— ¿Cómo así, otro más?

LES ESTÁ SACANDO FOTOS

Pregunta: ¿Por qué cuando hay relámpagos en el cielo los argentinos levantan la mirada y sonríen? Porque creen que Dios les está sacando fotos.

VARIOS

ES LA PRIMERA VEZ

Iban a colgarlo en la horca, y claro, el tipo estaba hecho una gelatina, estaba temblando, estaba hecho un manojo de nervios; lo suben a la tarima donde está la horca y le dice el verdugo:
— ¿Y usted por qué tiembla?
— Como es la primera vez pues usted, comprende, ¿no?

CAMINE NOS REÍMOS

Los espías estaban persiguiendo a un mexicano, corran detrás de él; éste, que sabía karate, se les subió a un edificio. El primer espía sube a la azotea y lo recibe el mexicano con una soberana patada en la boca, y el tipo se baja con las manos en la boca, en la cara. Y el otro le pregunta:

— ¿Qué le pasó mijo?

— No, hermano, yo que estoy aquí totiado de la risa, pero suba, fresco, yo aquí me río solo, suba.

El otro tipo sube y también el mexicano lo recibe con una soberana patada en la boca y se baja también con las manos en la boca y le dice al otro:

— Hermano camine nos reímos los dos.

¿SUERTE?

El albañil trabajaba en el piso número quince, en un andamio berriondamente alto; él allá subido; atrás estaban las astas de la bandera porque era el edificio municipal. El tipo trabajando, cuando de pronto se resbala y cae en el piso. Llegan los noticieros a entrevistarlo porque ha sucedido algo casi milagroso. El tipo se ha salvado, no tiene ninguna contusión, y le dicen al tipo:

— Oiga pero usted tiene una suerte...

— ¿Suerte? vayan miren lo que quedó colgando en una de las astas de la bandera.

BENITO

— A ver Benito.

— A ver mamita.

— Otra vez le voy a tomar la tarea, venga pa'cá. ¿Cuál es la mujer que más trabaja acá en Colombia?

— La mujer que más trabaja acá en Colombia se llama Marta Traba.

— ¿Por qué?

— Porque Marta Traba se casó con Zalamea Borda, entonces Marta Traba sala, mea, borda y le queda tiempo para ver novelas.

— A ver niño, si tengo 76.484 naranjas y me como 374.000 ¿cuántas me quedan?

— No me pregunte por naranjas, yo aprendí a contar fue con manzanas.

— ¿Cuál es el diminutivo de gallina?

— Pollito.

— ¿Con cuántos ceros se escribe un millón?

— Con seis.

— ¿Y medio?

— Con tres.

— ¿Qué es hurtar?

— Hurtar es como cuando uno se toma una Coca-cola y hace (sonido de un erupto).

— ¿Quiénes fueron los fenicios?

— Los fenicios fueron los primeros en clasificar a la copa Uefa.

— ¿Cómo se llama lo que hace girar los cuerpos sobre su eje?

— Se llama borrachera.

— ¿Quién fue Juana de Arco?

— Juana de Arco es la única mujer arquera que ha existido.

— ¿Qué son ángulos?

— Sonángulos son los que caminan dormidos.

— Niño, ¿quién derrotó a los filisteos?

— Los filisteos fueron derrotados por Lucho Herrera en Alpe D'Huez.

DÉJESE EXPLICAR

Oyendo un concierto uno de los amigos se la quiere pasar de demasiado crítico, de demasiado sabihondo en música; llega y codea al amigo que está al lado y dice:

— Oiga mijo ¿quiere que le diga una cosa? La voz de esa mujer que está cantando, ¡qué cosa tan horrible!

Y el otro le dice:

— Hermano pilas, esa es mi mujer.

— No, no, espere, ¿usted no me entiende? yo quise decir la acompañante, la de allá del piano.
— Hermano esa es mi hija.
— No, no, noo, hermano, déjese explicar, yo no quería decir eso, lo que yo quería decir es que el compositor, ese sí no sabe nada de música.
— Hermano el compositor soy yo.

UNA BARAJA

El hombre tenía fama de supertacaño, pero supertacaño, y un día la novia le dice:
— Ay mi amor, ¿por qué no me regalas algo que tenga diamantes?
— Sí mi amor, te voy a regalar algo que tenga diamantes.
Le regaló una baraja.

APRENDER A ATERRIZAR

El hombre hizo un curso de pilotaje por casetes, se subió a la avioneta, colocó su casete y empezó a seguir todas las instrucciones que le iban dando por intermedio de la casete. El tipo iba piloteando su avioneta.
— Ala qué berraquera esto.
Y él seguía todas las instrucciones de la casete, de pronto:
— Ala voy a aterrizar.
Cuando en ese momento se acabó la casete y dice el tipo que estaba hablando por la grabadora:
— Esta ha sido la casete número uno que le enseña cómo aprender a aterrizar, si usted quiere aprender a aterrizar compre la casete número dos.

SI LAS VACAS VOLARAN

El pastusito estaba parado en un potrero, de pronto pasó una paloma y lo bautizó, le cayó en el hombro y el tipo era tan optimista que dijo:
— ¡Ay, cómo soy yo de buenas!, ¿qué tal si las vacas volaran?

CURAS

BÁJEME

El cura tenía en su iglesia un sacristán bastante parecido a Cristo, y el sacristán estaba limpiando en cierta oportunidad el Cristo de la iglesia, pero resulta que se le cayó y se partió, quedó hecho trizas en el piso. Entonces el sacristán dice:
— Noo, yo voy a tomar el lugar del Cristo, yo me crucifico y me hago ahí, sí, porque qué más.

Efectivamente el hombre se colgó; de pronto llegó un tipo y se arrodilló frente al Cristo y le dijo:
— Padre perdóname porque yo me he acostado con la mujer del sacristán.

Y el sacristán grita:
— ¡Ay cura bájeme!, ¡yo mato a este desgraciado!

APÁRTEME TRES

— ¿Padre está recibiendo confesión?
— Sí hijo dime...
— Quiero hacerle una pregunta.
— Cuéntame hijo.
— ¿Usted es el que aparta las mujeres malas?
— Sí hijo, yo aparto las mujeres malas.
— Apárteme tres pa'l sábado, ¿sí?

LA IGLESIA SOLA

— Padre acúsome que en cierta oportunidad yo estaba en mi casa y pues, eh, eh, tuve relaciones con ella.

— Pero si eso está muy mal hijo.

— Sí padre, pero mire yo solo, ella sola, la casa sola.

— Bueno hijo eso no debe hacerse.

— Padre, pero ahí no termina todo.

— A ver, cuénteme hijo.

— Es que en cierta oportunidad llegó mi suegra y también sucedió algo con ella.

— Eso no debe hacerse hijo mío.

— Sí padre, pero, imagínese, yo solo, ella sola, la casa sola.

— ¡Ja!, ¿y qué más?

— Pues resulta que una vez llegó una tía mía, ¿no?

— ¿Y qué pasó?

— Pues, pasó lo que sucedió con las dos anteriores.

— ¡Ajá!, eso está muy mal hecho hijo.

— Sí, pero padre, imagínese, yo solo, ella sola, la casa sola.

En esas se para el padre y sale corriendo. Y le dice:

— ¿Padre pa' dónde va?

— No jodas hijo, yo solo, usted solo, la iglesia sola, noo.

DESEÁNDOLO

Llega el cura a casa de Benito y éste le dice:

— Siga señor.

— Hijo mío no me digas señor.

— Aah, mi mamá se va a poner más contenta, lleva como siete años deseándolo, papá.

PAREJAS

¿CÓMO ME QUEDA?

La novia estaba estrenando una minifalda que era bastante subidita, eso ya no era minifalda, era como una baticueva, más o menos, y se pasa por delante del novio y le dice:
— A ver papi, ¿cómo me queda?
— Mijita le queda por detrás al ojo y por delante al pelo.

A MI MAMÁ NO LE VA A GUSTAR

El novio le dice a la novia:
— Mi amor ¿por qué no vamos detrás de esos árboles, sí?
— Ay, no, no, noo, porque a mi mamá no le va a gustar eso.
— ¡Ja!, si viera cómo le encantó anoche.

NO NOS CONOCÍAMOS

Entre casados:
— Mi amor, ¿te acuerdas lo felices que éramos hace seis años?
— Mi amor, pero si hace seis años no nos conocíamos.
— Por eso mamita.

EL PRIMERO

— Mi amor, te juro que eres el primer hombre, te lo juro, te lo juro.
— Te creo mi amor.
— Gracias, eres el primero también que me cree.

YO TAMPOCO

Va a pedirle la mano de su hija al suegro.
— ¡Ajá!, usted viene a pedirme la mano de mi hija; pues mire señor, la verdad es que yo no quiero que mi hija esté toda la vida con un estúpido.
— Pues, yo tampoco, por eso me la llevo señor.

TIRA DE LA ARGOLLITA

El yerno le regala a la suegra una granada de mano y le dice:
— Vea suegra, esto se llama *beeper*, un buscapersonas. Cuando usted necesite llamarme por cualquier cuestión, tira de la argollita y ¡listo papá!

SOMOS NUEVE

— Pues sí señor, yo quiero casarme con su hija.
— Mmm, ¿y será que usted está en condiciones de mantener a una familia?
— Sí señor.
— ¿Está seguro? mire que somos nueve.

CAMPESINOS

¡QUÉ PENONONÓN!

El campesino estaba sentado en la buseta, de pronto se sube una muchacha, y como cosa rara, el chofer mete un frenazo, pero cosa soberana, la muchacha se va de sentadores y le cae justo en las piernas al campesino, y la muchacha se para toda roja, toda sonrojada y le dice:
— ¡Ay señor, qué penononón tan grande!
— Ahi lo tiene a la orden sumerce' pa' lo que quiera.

LA MUJER YA SE FUE

El campesino pasa por un batallón y se da cuenta que un tipo está haciendo flexiones de pecho: uuuu, uuuu, uuuu. Y le dice:
— ¡Ay este es mucho bruto!, sigue haciéndole y la mujer ya se fue.

SAQUE TRES MUELAS

— ¿Doctor usted cuánto cobra sumercé' por la sacada de una muela?
— ¡Ajá!, a ver, con penicilina cobro $ 2.000, sin penicilina cobro $ 500.
— ¡Ah no!, pues yo necesito que me saque tres muelas.
— Lo felicito, es usted una persona muy valiente.
— No, no es pa' yo sumercé', es pa' la mujer que está allá ajuera.

ZARAGOZA

— A yo, la verdad, eso de la música me gusta mucho sumercé'; por ejemplo esa canción de Zaragoza, eso es mucha canción tan gonita que es que ahí es donde salen las zaragozas sumercé'.
— ¡Ajá!, ¿y cómo dice la canción?
— Es la que dice: De piedra es la cama, de piedra es la cabecera.
— Oigame señor, esa no es la canción de Zaragoza, esa es la cama de piedra.
— Pero ahí es donde más goza la sara, sumercé'.

SE LA DEBEMOS A SINFOROSO

— Papi, papi, hoy el profesor me enseñó que la radio se la debemos a Marconi.
— Po's dígale a ese profesor que no sea sapo, que a él qué le importa que la radio no se la debemos a Marconi sino a Sinforoso al de la esquina, sumercé'.

¿CONTRA SU VOLUNTAD?

— Sumercé', es que mire, yo vengo aquí a poner una demanda.
— ¡Ajá!, cuénteme.
— Es que a yo me violaron.
— ¿Contra su voluntad?
— No, contra un bulto de yuca, sumercé'.

DE LAS INGLES

— A la orden las pulgas inglesas, pulgas inglesas, a la orden, pulgas inglesaaas.
— ¿Cómo es que está vendiendo usted señor campesino?
— Estoy vendiendo unas pulgas inglesas, sumercé'.
— ¡Aaah, no me diga!, ¿esas pulgas son educadas?
— No sumercé', es que me las saqué de aquí de las ingles, sumercé'.

VOY A MORIR A MI PUEBLO

La muchacha del servicio toma sus maletas, su ropa y va saliendo, cuando la detiene la patrona y le dice:
— Venga ¿y usted para dónde va, cómo así, usted para dónde va?
— Sumercé', es que lo que pasa es que esta mañana el patrón cuando yo estaba lavando se me arrimó y me dijo: De esta noche no pasa. Anto's yo me voy a morir a mi pueblo, sumercé'.

NEGROS

UN CONDOMINIO

— Negla te tengo una solplesa, negla.
— A ver, contame negrito.

— Negla qué sopresa la que yo te tengo negla, te comp'é un condominio.

— ¡Ay menos mal porque esas pastillas ya me tenían mama'a, hola!

POR CUALQUIER PENDEJADA

Detienen a un tipo en Cuba y le pregunta el juez:
— ¿Por qué lo detuvieron?
— Pues la verdad es que yo ayer estaba borracho y empecé a gritar por la calle: Doy un peso por la cabeza del Presidente, doy un peso por la cabeza del Presidente.

Y dice el juez:
— ¡Ah!, a este tipo déjenlo libre que cuando uno está borracho le da por ofrecer plata por cualquier pendejada.

NOS ROBARON EL CARRO

Los negritos se van para la Circunvalar aquí en Bogotá, y querían aprovechar un momento a solas, entonces la negra le dice a él:
— Negro ¿sabe qué?, ¡ay, ay, ay!, ¿qué es lo que yo estoy sintiendo?, no, ¿sabe qué negro?, yo quiero ver las estrellas.
Pero como en el carro no se podía hacer nada:
— Mi amor ¿por qué no nos metemos debajo del carro?, metámonos debajo del carro.
Diez minutos más tarde la negra le dice:
— ¡Ay negro, esto es muy fabuloso!, yo ya estoy viendo las estrellas.
El negro levanta la cabeza y le dice:
— Negra nos robaron el carro.

VARIOS

QUE CAMINE CON ORGULLO

El homosexual estaba viendo jugar béisbol; sí, estaban jugando béisbol cuando el narrador:

— Señoras y señores, estamos en este partido emocionante, primer lanzamiento, se hace el lanzamiento y bolaaa.

Se para el homosexual y dice:

— Bola, bola, hola bola.

Todo el mundo voltea a verlo mal y se sentó. Segundo lanzamiento:

— Señoras y señores, listo el bateador, bases llenas, lanzamiento y, bolaaa.

— Ay, bolaaa, bolaa.

Y todo el mundo voltea a mirar mal al homosexual, hasta que se sentó. Tercer lanzamiento:

— Señoras y señores, lanzaa y boolaaa.

Y dice el mariquita otra vez:

— Bola, eh bola.

Se sentó todo achantado. Cuarto lanzamiento: Se hace efectivo y bola, y como es lógico, a las cuatro bolas el tipo tiró el bate y se fue caminando a la primera base; se para el mariquita:

— ¡Ay corra, corra que lo ponchan, corra que lo ponchan!

Había un costeño al lado y le dice:

— ¿Cómo quiere que corra si tiene cuatro bolas.

— ¡Ay, entonces que camine con orgullo!

AL ÚLTIMO PISO

El pastuso era ascensorista, entonces en cierta oportunidad entran dos tipos al ascensor y le dicen:

— Por favor al último piso.

— Sí señor, ¿pero a cuál último piso, al de arriba o al de abajo?

ME GUSTAN LOS SISMOS

— ¿Doctor, usted qué opina de los sismos?
— Evidentemente a mí me gustan mucho los cismos, sobre todo ese bar me hace reír, ji, ji, ji.

QUEDAMOS DETENIDOS

El policía hace parar un carro que va a gran velocidad, porque ahí dentro van unos fumadores que están metiendo marihuana. Entonces el policía los detiene y el tipo lo primero que hace es meter la cabeza por la ventanilla, aspira el aroma tan pesado y dice:
— ¿Sabe qué, locos?, quedamos todos detenidos.

¿QUÉ ES ESE RUIDO?

El pastuso llega a hacer un reclamo a la ferretería y dice:
— Mire señor: Resulta que yo hace unos días me vine para acá, yo iba a comprar esta sierra eléctrica, yo la compré y me la llevé. Usted me garantizaba que yo iba a cortar dos docenas de árboles con esta sierra eléctrica, pero la verdad es que yo la he llevado y en tres semanas no he cortado sino tres árboles, entonces yo he venido para ver porque la sierra me salió como mala.
El vendedor se la quita y le dice:
— Muestre a ver, y la prende, y el pastuso pega un brinco y dice:
— ¡Ay Dios mío!, ¿qué es ese ruido?

ESPECIALISTA EN DERECHO

El pastusito tenía un dolor supremamente fuerte en el testículo izquierdo, pero bastante dolido estaba, tanto le dolía que buscó en las páginas amarillas y donde decía doctor, anotó la dirección y se fue, pero era un doctor abogado. Entonces, claro, el

pastuso con ese dolor de testículo y se agarraba y se agarraba
y entra corriendo a la oficina, se sienta y le dice:
— Doctor imagínese que me está doliendo el testículo izquierdo
y el abogado se queda mirándolo y le dice:
— Señor disculpe, yo soy especialista en Derecho.
— ¡Ay Dios mío, pero es que a mí me duele el izquierdo, yo qué
hago con tanta especialización, aah!

EN CLASE DE ASTRONOMÍA

Están en clase de astronomía y el profesor tiene un telesco-
pio, están mirando hacia el infinito y dice el profesor:
— De aquí al Sol hay ciento cincuenta millones de kilómetros.
Y se para y dice Benito:
— Perdón profesor ¿esa medida es desde el piso o desde la punta
del telescopio?

ES LA OTRA MITAD

— Mesero: Este pollo no es igual al que usted me vendió la
semana pasada.
— Me extraña mucho señor porque esa es la otra mitad.

¿EL ENANITO QUÉ DIJO?

Un enanito, bajito, pero bien bajito llega a una cantina, se
acerca a la barra y le dice al dependiente:
— Por favor ¡uff!, me da ¡uff!, un aguardiente ¡uff!, doble ¡uff!, en
¡uff! vaso ¡uff! de ¡uff! soda ¡uff!
— Como veinte saltos para que lo viera el dependiente. Y dice
éste:
— Perdón, ¿el enanito qué dijo?
— Que vaya y le jale el pelo a la soberana calavera de su madre.

PA' TODO EL MUNDO

El borracho entra a la iglesia. Estaba el padre en el confesionario y el borracho se para en toda la entrada y dice:
— Aguardiente pa' todo el mundo, aguardiente pa' todo el mundo; ¡qué pasó que no se prende esto!, aguardiente pa' todo el mundo.
Y se asoma el padre que estaba en el confesionario, corre la ventanita...
— Pa'l señor que está en el baño también.

LE PUEDE DAR TODA

Un borracho estaba haciendo del cuerpo en plena plaza pública y a plena luz del día, se acerca una señora y le dice:
— ¡Ay señor deje de hacer eso hola, uich, qué porquería!, no, mire, deje de hacer eso o me va a tocar pasarle parte a la policía.
— Por mí le puede dar toda la materia fecal mi señora.

SIENTO UN DESCANSO

A diferencia del anterior, éste estaba orinando y se le acerca una señora y le dice:
— ¿Oiga señor es que usted no siente vergüenza?
— No mamita, lo que siento es un descanso...

LO VAMOS A COMPROBAR

Ardila Lulle iba en su avión privado, éste presenta fallas mecánicas y se precipita en la selva inhóspita de Africa; ahí mismo le caen los caníbales y lo cogen; Ardila Lulle les dice:
— ¡Uy, hermano, mire, yo soy el hombre más rico de Colombia!
— Eso lo vamos a comprobar durante la comida.

EL ÚLTIMO SE LO COMIERON

Ahora, si ustedes quieren saber si en Colombia hay caníbales, yo les tengo una buena noticia: El último se lo comieron ayer los familiares.

HIPERBOLES

* Tan perezoso el boxeador, que para levantarlo la mamá tenía que contarle hasta diez.
* Oiga, tiene el sueño tan pesado que siempre amanece debajo de la cama.
* Es tan perezoso que nunca busca trabajo porque le da miedo encontrarlo.
* Tan bueno el policía que no lo mete a uno a la cárcel ni jugando parqués.
* Me gustan tanto las mujeres que hasta me gusta la mía.
* Amaba tan dulcemente que se murió de diabetis.
* Tan limpia la madre del recién nacido que antes de darle pecho le lava las manos al niño.
* Tan limpio que usaba champú para que los piojos se bañaran.
* Tan sucio que no se baña todavía porque aún escucha.
* Tan limpio que no se baña en el mar porque no quiere quedar oliendo a pescado.
* Es tan intenso el frío de ese pueblo que sus habitantes se bañan las manos con guantes.
* Hace tanto calor que las gallinas ponen de una vez los huevos fritos.
* Tan hipócrita que puso la primera piedra y escondió la mano.
* Tan hipócrita el futbolista que luego de patear el balón esconde el pie.

* Oiga, tan calumniador que cada vez que da un paso se muerde la lengua.
* Tan fuerte que cuando se jala el pelo él mismo se levanta del piso.
* Tan áspero que escribe sus cartas en papel de lija.
* Tan fiero que se peina con un serrucho.
* Tan avinagrado su genio que cuando se murió no lo enterraron sino que lo embotellaron.
* Tan fuerte el tipo que aprieta una fábrica y le saca huelga.
* Es tan negra que le dicen el crimen perfecto, nadie la ha podido aclarar.
* Tan negra que su pintalabios es una barra de chocolate.
* Tan racista el piloto de aquel avión que no dejó colocar caja negra en su avión.
* Tan negro que cuando va a toros, el sol le queda en sombra.
* Es tan calvo que el último pelo que le quedaba lo mandó a asegurar contra incendio.
* Es tan calvo que le dicen boceto porque no tiene sino cuatro mechas.
* Tan vanidoso que no se le pone la piel de gallina sino de pavo real.
* Tan recatada que se cambió de casa porque la calle donde vivía era de doble sentido.

VARIOS

LA SECRETARIA

— Señor, mire, yo vengo por el puesto de secretaria.
— Ajá, cuénteme, ¿usted sabe mecanografía?
— No señor, no sé mecanografía.
— ¿Taquigrafía?

— No, no sé taquigrafía.

— ¿Técnicas de oficina?

— No, no sé técnicas de oficina.

— Mejor dicho, usted es una secretaria peculiar.

— No señor, pa' eso sí, sí.

EL COMELÓN

El hombre llega al circo a ofrecer un espectáculo que era magistral, que era maravilloso.

— A ver, cuénteme, ¿cuál es su espectáculo?

— Mire señor, lo que pasa es que yo, pues, mi espectáculo, pues e..., es muy fácil, muy sencillo, mire, yo me siento a una mesa gigante y me como siete lechonas en veinte minutos.

— ¡Hola!, muy bueno ese número, pero yo le quiero contar que nosotros tenemos función todo el día; nosotros tenemos función a las 10 de la mañana, a las 11, a las 12, a la 1, a las 2, a las 3 y así, hasta las 9 de la noche.

— No me importa señor, en mi espectáculo, yo me como veinte lechonas pero rapidito, rapidito.

— ¡Ah!, eso me parece muy bien, me parece estupendo.

— Solamente tengo algo que decirle: Yo al medio día no puedo trabajar en la función de las 12.

— ¿Por qué?

— Ah, no, ¿entonces no me queda tiempo pa' ir a almorzar, hola?

EL MACACO

— Benito ¿usted por qué le pegó a su compañerito?

— Porque él hace quince días me dijo que yo era un macaco.

— Y si le dijo eso hace quince días, ¿por qué le pegó hasta ahora?

— Porque hasta ahora me dí cuenta de qué es un macaco.

BUSES

EL PARADERO

Se sube un tipo a la buseta y empieza a recostársele por detrás a la muchacha, y el tipo se estaba pasando, hasta que la muchacha le dijo:
— Oiga señor se está pasando.
— No, todavía me quedan tres paraderos.

EL CACO

Los cacos generalmente aprovechan los buses para meter las manos en los bolsillos. El tipo iba prendido de la varilla y se da cuenta que el ladrón le mete la mano al bolsillo, y le dice:
— No señor, eso es de la mujer, la platica la llevo en el bolsillo de la camisa.

PARA LA CASA

Una señorita, muy aseñorada se paró y timbró, el conductor le abrió la puerta antes de parar pero le dio temor y le dijo:
— Oiga no se vaya a tirar.
— No señor, yo me voy juiciosa para la casa.

VARIOS

EL PÁJARO LOCO

Al puesto de revistas llega un señor y dice
— Oiga señor ¿usted tiene el pájaro loco?
— No señor, pero si quiere me lo alboroto.

EL TRAGO

Entra un tipo a la taberna, ¡pero un soberano lempo de dos metros!, ¡cuajado!, ¡musculoso!, y se queda mirando a todos:

— El último que salga de esta taberna va a morir a manos mías. Sale todo el mundo corriendo menos un tipo que estaba ahí en la barra, como si nada, y se le acerca el tipo:

— Oigame ¿usted no escuchó? Oigame.

Le pega un empujón al tipo que está en la barra, y se toma el trago que se iba a tomar el hombre de la barra. Se para el tipo y empieza a llorar: ¡Dios mío no puede ser!, mi mujer se voló con otro, mi hija mayor se fue a vivir con un desechable, mi papá se murió, mi mamá enloqueció, mi hijo se volvió homosexual y ahora viene usted y se toma el trago de cianuro con el que me iba a suicidar, ¡nooo hombre!

EN EL QUIRÓFANO

La muchacha estaba en el quirófano totalmente desnuda, solamente la cubría una bata blanca porque ya iban a operarla. Entran varios tipos de bata blanca y le levantan la bata y duran media hora clavados mirándola de arriba abajo; la inspeccionaban por todo lado, y dice la muchacha:

— Perdón doctores, ¿cómo me encuentran?

— No, nosotros no somos doctores, nosotros venimos a reparar el aire acondicionado.

NO TE FÍES

— Ya ves, los consejos, mi amor, que yo te he dado en la vida te han servido de mucho; recuérdalo, mi amor, óyeme bien lo que te estoy diciendo: De los hombres no te fíes, óyeme bien, de los hombres no te fíes.

— No mami, no, tranquila, además, yo con los hombres es todo al contado.

EL TELÉFONO

Suena el teléfono, ella levanta el auricular, del otro lado le dicen:
— ¿Te gustaría salir conmigo esta noche?
— Claro que sí, me encantaría, pero perdón ¿con quién hablo?

PROPUESTA

El novio le hace una propuesta a la novia:
— Te doy $ 3.000.oo.
— Usted qué cree, ¿que yo soy fácil? que yo soy una de ésas y menos por $ 3.000.oo.

EL ACCIDENTE

Un accidente de tránsito, el carro quedó vuelto una crispeta, el conductor murió, la única que se salvó fue la novia, y de pronto llegó la T.V. a entrevistarla:
— Bueno, cuéntenos ¿cómo fue el accidente?
— No pues, él iba a 60, luego a 90 y luego a 120, y me dijo agárrese de donde pueda, y donde no sea hombre, me mato mijo.

EL TIPO:

— ¡Hip!, ¡hip!, ¡qué pomarrosa la que tengo!
La muchacha empieza a voltear la cara para el vidrio y empieza a hacer caras como de mmm. Le acerca bien la cara a la muchacha y le dice:
— Mamita, ¿le molesta si fumo?
— ¡Uy!, ¡qué aliento el suyo!, ¡pues fume!
El tipo saca un cigarrillo, lo prende y empieza a fumar. ¡Qué pena señorita!, saca del sobaco un sandwich y empiezan a rondarlo las moscas y la muchacha, toda asqueada; le dice el tipo:

— ¿No quiere sandwich?, ¡ah pues!, se puso refinada, entonces ¿supongo que no quiere hacer el amor conmigo, no?

ENGORDA PAREJITO

Entra la señorita corriendo donde el doctor y le dice:
— Doctor ¿la arepa engorda?
— Señorita, cuando uno engorda, engorda parejito.

LA GALLINA

— Doctor tengo un problema, mi mujer se cree gallina, ¿qué hago?
— Déle bastante maíz, la trae y nos la comemos.

MUERTAS

La muchacha se va de farra con su novio, ¡eh pero cosa rara!, al novio le dio por aventurarse en un cementerio; entonces se van para el cementerio, pasan toda la noche allí. La muchacha empieza a tener dolores en las nalgas y va donde el médico. El médico le dice: Bueno, bájese los pantalones. El médico se ríe del espectáculo que está viendo y le dice: Señorita, usted tiene muertas las nalgas desde 1916.

LECCIONES A BENITO

— A ver Benito.
— A ver mamita.
— Venga le tomo la tarea, mi amor. A ver mi amor, dígame, ¿cuántas razas predominan acá en Colombia?
— Acá en Colombia predominan cuatro razas: Liberales, conservadores, unión patriótica y los de M.
— ¿Qué son números primos?
— Los hijos de los números hermanos.

— ¿Cuál es el hueso más largo del cuerpo humano?

— La tiroides.

— ¿En cuántas ramas se divide la anatomía?

— No conozco ese árbol.

— ¿Quién dijo: No me extraña que el mejor compositor de música fuera sordo y el mejor escritor fuera manco?

— Un boquineto que quería ser cantante.

— ¿Cuál fue el ciclista ganador de la vuelta a España?

— El que llegó primero.

— ¿Qué es una hipoteca?

— Es una discoteca para hipopótamos.

PIERNA ABIERTA

El tipo llega a la casa y escucha un grito, va corriendo a la cocina y le dice la esposa:

— ¡Ay papito! mire, tengo la pierna abierta, vaya llame rápido al doctor.

Se fue, llamó al doctor y le dijo:

— Doctor mire, mi esposa tiene una pierna abierta, venga rápido doctor.

— Qué pena pero aquí estoy atendiendo una que tiene las dos piernas abiertas.

DOCTOR AYÚDEME

* Doctor, yo quiero que usted me solucione mi problema.

— A ver, cuénteme.

— Doctor, es que tengo el miembro viril muy grande.

— Bueno, ¿usted vino a consultarme o a chicanear?

* A ver, cuénteme.

— Doctor lo que pasa es que estoy teniendo pesadillas; últimamente sueño con mujeres desnudas.

— No, pero ¿cuál es ese problema?

— Que soy homosexual.

* Doctor qué hago, mi mujer dice que yo soy un tipo muy aburrido, doctor, doctor, doctor, doctor...

* El tipo va donde el odontólogo y le dice:

— Doctor, tiene que ayudarme con mi problema, imagínese que siempre que llego a mi casa ella me está esperando con una bata transparente y entonces a mí me empieza a doler la cabeza.

— ¡Ah no!, usted tiene que ir donde un especialista, yo soy odontólogo.

— No, espérese un momentico doctor, lo que pasa es que ella se empieza a poner toda así insinuante, toda sexi, y con el dedito empieza a decirme que vayamos para arriba... y empiezan a temblarme las piernas.

— Hombre, usted tiene que ir donde un especialista, yo soy odontólogo.

— No doctor, espere, entonces ella abre la puerta del cuarto, se quita el baby doll y entonces a mí me empieza a latir el corazón con mucha fuerza.

— Mire señor, tiene que ir donde un cardiólogo, yo soy odontólogo.

— No doctor, es que usted no entiende, entonces ella se acuesta en la cama y empieza a llamarme con el dedito, y yo hago sssss y me da un escalofrío en este colmillo, doctor.

MOROS EN LA COSTA

Acostados en la cama, de pronto suena el teléfono:

— Aló, ¿qué? No, mire hermano, llame a la secretaría de marina, sí, sí, sí, no, no, no, olvídese.

Colgó el teléfono. Una hora más tarde suena el teléfono.

— ¡Ay no!, mire hermano, ya le dije que llamara a la secretaría de marina, no, no, yo cómo le voy a dar esa información.

Una hora más tarde:

— Aló, sí, oiga, pero si ya le dije que llamara a la secretaría de marina.

Se despierta la esposa:
— ¿Quién es?
— Ah, un tipo cansón preguntando desde hace rato que si hay moros en la costa.

EL PERIÓDICO

El hombrecito en la casa pega el grito:
— ¿Quién carajos se está llevando mi periódico todas las mañanas?
Y salta el sapo del Benito:
— Papi, el que se lleva todas las mañanas el periódico es un señor que viene a luchar en la cama con mi mamá.
— Que haga lo que sea, pero que ¡carajo! no se lleve el periódico.

EL RIESGO

Chicaneando el hombre de su mujer:
— Ala, a mi mujer le gusta el riesgo y la aventura.
Y le dice el compañero:
— Sí, en el barrio todos lo sabemos.

AL REVÉS

Se casa, se va para la luna de miel y él no sabía que su mujer era calva; ella apaga la luz antes de desvestirse y se quita la peluca, y se acuesta así; el tipo también se alista, se tira a la cama, y como todo está apagado, pues, le manda la mano y lo que toca es la calva, y le dice:
— Mamita acuéstese bien que se acostó al revés.

EL RENCOR

El mexicano le dice a la mexicana:
— Comadre los dos hemos sido amigos durante muchos años, ¿sí o no?

— Pos sí compadre.

— Pero ¿quiere que le diga una cosa?, comadre he descubierto algo que le va a doler, pos su esposo y mi esposa nos la están jugando entre compadres, y yo he venido a proponerle a usted, pos que nos venguemos, comadre.

— Pos venguémonos compadre.

Listo, primera venganza, descanso y media hora, y dice la comadre:

— Oiga compadre, ¿nos vengamos otra vez?

— Pos venguémonos comadre otra vez.

Media hora.

— Hola compadre, pos qué, ¿nos vengamos o qué?

— Pos venguémonos.

Una hora más tarde

— Pos qué, ¿nos vengamos o qué?

— ¡Uy qué pena comadre!, pero ya se me acabó el rencor.

EL ELEFANTE

La mujer recibió a su amante y en ésas llega el marido y entonces la mujer le dice:

— Vaya y métase en el armario y cuando yo diga que ahí adentro hay un elefante, usted hace como elefante. Efectivamente, entra el esposo de la señora:

— ¡Qué hubo mija!, voy a guardar el saco.

— ¡Ay!, no abra el clóset.

— ¿Por qué?

— Es que allá adentro hay un elefante.

— ¿Un elefante?

— Sí, de verdad, hay un elefante.

Y al tipo que estaba ahí dentro se le olvidó cómo hacen los elefantes y empezó:

— Choco-choco crispy, choco-chocolate.

APLANADORA

— Oiga hermano, a su mujer la acaba de atropellar una aplanadora.

— ¡Que la meta por debajo de la puerta y no joda más!

PESADILLA

Horrible pesadilla tenía el viejito esa noche, soñó que era gallina y que estaba en un gallinero y pertenecía a un negro, y el negro tenía como compromiso que todas las mañanas gallina que no pusiera huevos sacaba un machete y le volaba la cabeza, y el viejito era una de esas gallinas y siempre las enfilaba con un pito y todas las gallinas hacían una cola; efectivamente, el viejito era el último de la fila, era la última gallina y empieza a mirar el negro: —Esta no puso huevo. —Le bajó la cabeza.

— Esta sí puso huevo.

Se salvó, y el viejito allá haciendo fuerza para poder poner el huevo, y el negro baje cabezas, y cada vez se acercaba más al viejito, y de pronto codean al viejito y le dicen:

— Viejo, despiértate que te estás haciendo del cuerpo en la cama.

LAS COSAS EN CLARO

— Ya lo pillaron, ya lo pillaron, me contaron en todas las andanzas que usted anda, que usted tiene otra vieja, y que le compró un *pent-house* y que se la pasa durmiendo con ella todas las noches.

— Bueno, vamos a poner todas las cosas en claro. Primero, ¿vieja?, vieja usted; ella tiene quince años. ¿Pent-house?, sí señora, es un *pent-house*, una mansión y... pues esto aquí es una casucha. Y además, ¿que yo duermo con ella todas las noches?, no, duermo con usted, ella no me deja dormir.

EL MARIDO

En cierta oportunidad una pareja está haciendo el amor cuando de pronto golpean la puerta: tac, tac, tac. La mujer empieza a gritar:
— ¡Ay mi marido!, ¡mi marido!; el tipo sale de la cama y se bota por la ventana y cae por allá aparatosamente, y a los cinco minutos sube el mismo tipo y dice:
— No joda mija, yo soy su marido.

MARGARITA CHANDOSA

Abre la puerta el señor y encuentra a su mujer con otro en la cama y le dice:
— Ah..., así la quería encontrar Margarita chandosa.
Le dice la mujer:
— Bueno y si así me quería encontrar, entonces ¿por qué se pone bravo?

EL LUNAR

El tipo era pintor y su especialidad era pintar desnudos. En alguna oportunidad le dio por pintar el desnudo de su mujer. La mujer le dice:
— Ay mi amor eso está muy bien, pero el lunar ese que tengo en la nalga quíteselo porque me van a reconocer todos sus amigos.

UNA DAMA

Llega el tipo a la casa y encuentra a su mujer con otro en la cama y le dice:
— Claro, usted es una mujer fácil, una mujer con doble moral.
Y le dice el otro tipo:
— Oiga señor, tenga cuidado con su vocabulario que aquí hay una dama.

NO ME HABLO

Estaban haciendo el amor los amantes y la mujer empieza a gritar:
— ¡Ay!, ¡viene mi marido!, ¡viene mi marido!, y le dice el tipo:
— Tranquila que yo con su marido no me hablo, fresca.

EL RELEVO

La misma operación y la mujer empieza a gritar:
— ¡Ay!, ¡viene mi marido!, ¡viene mi marido!, y dice el tipo:
— ¡Ay!, ¡gracias a Dios!, ya necesitaba relevo.

NO SE MUEVAN

Abre la puerta el tipo, otra vez la mujer con su amante.
— Claro, ya me lo figuraba yo, engañándome, ¿por qué se atreve a engañarme, hola?, y ese estúpido, ¿qué tiene ese estúpido que no tenga yo, hola?, pero por lo menos no se muevan mientras hablo, ¿sí?

QUE BAJES LAS CORTINAS

Vivían en la misma organización los amigos, y uno le dice al otro:
— Ala, pues aquí entre amigos, pues te voy a dar un consejo mijo. Cuando llegues tarde de la noche y tengas ganas de estar con tu mujer, lo que te recomiendo yo es que bajes las cortinas porque es que anoche a las nueve de la noche, resulta que nosotros nos dimos cuenta que ustedes estaban haciendo el amor, todo mundo nos dimos cuenta ahí en la urbanización.
— ¿A qué horas me dijo?
— A las nueve de la noche.
— Hermano, yo llegué a las once.

TIBILÍN

El niño se le acerca al papá y le dice:
— Papá usted es puto.
— Que ¿qué?, usted ¿qué es lo que está diciendo?
— Que usted es puto.
Saca la mano el papá y se la siembra al chino.
— A bueno, entonces yo soy puto y usted es Tibilín, ¿está bien?

A LA LIGERA

— A ver, ¿por qué me está diciendo que yo tomo las cosas a la tremenda, a la ligera, que soy demasiado, eh, cómo te digo, que tomo todo a la tremenda, que soy demasiado malgeniada, por qué?, ¿por qué?
— No mamita por nada, por tus lágrimas, tus gritos, tu histeria y las veinticinco puñaladas, no más.

DESCUIDO

— Oíste, ¿sí sabes lo que me enteré de la muchacha de servicio que nos atendía acá? Imagínate que me llamó y me dijo que se llevó algo de nuestra casa y que ha tardado tres meses en descubrirlo, ¿qué será?
— Y dice el marido: Umm..., será un descuido.

ASPIRINAS

Entra el tipo a la casa y ve a su mujer acostada en la cama y le dice:
— Mi amor te traje un vaso y dos aspirinas.
— ¿Para qué?, si yo no tengo dolor de cabeza.
— A bueno; entonces hagamos el amor.

QUE SIEMPRE FUE

Como cosa rara el tipo murió de diarrea y la señora llega donde el doctor y le dice:
— Doctor, mire, yo quiero que usted dictamine que mi marido no murió de diarrea, que murió de sífilis.
— Perdón señora, que murió ¿de qué?
— Que mi marido murió de sífilis.
— Y ¿por qué?
— Porque yo quiero que lo vean como un *play boy* y no como la caquita que siempre fue doctor.

A INVESTIGAR

Para entrar al cuerpo de policía el pastuso tenía que pasar primero por un examen de cultura general y le preguntan:
— A ver señor, usted, ¿quién mató a Cristo?
Y el tipo se queda pensando, pensando y no pudo responder. Luego se va para la casa y la mujer le dice:
— Cómo le fue por allá en el examen?
— Bastante bien, yo ya estoy dentro de la policía, ya me pusieron a investigar un caso.

EL SEMÁFORO

Dos daltónicos están conversando y uno le dice al otro:
— Oiga hermano ¿de qué color está ese semáforo?
— Rojo.
— Agáchese y me lo muerde.

OLOR A PESCADO

Resulta que como los cieguitos se guían mucho por el olfato, por el tacto o por el oído, pues éste se guía es por el olfato. De pronto estaba parado en la calle, de pronto le llegó un olor a rosas:

— ¡Uy!, ¡adiós señora!
De pronto le llegó un olor a cebolla:
— ¡Uy!, ¡adiós señor cocinero!
De pronto le llega un olor a pescado:
— ¡Adiós mamacita!

A MÍ SOLO

El bus iba repleto, de pronto empezó a salir un olor nauseabundo. De pronto iba un tipo enfermo del estómago y todo el mundo se mandó la mano a la nariz, y había un mochito de las dos manos y dice:
— ¡Ay!, ¡no joda!, ¿me lo van a dejar a mí solo, hola?

A PUNTA DE VELA

Contesta el teléfono el encargado de la empresa electrificadora:
— Aló, señor, mire, le hablan de aquí del convento, es para ver si usted nos manda un hombre porque desde hace cuatro días estamos a punta de vela.

INFIERNO

Se muere el hombrecito y se va para el infierno y Satanás empieza a mostrarle diferentes castigos y le dice:
— Bueno, ¿usted quiere cachos o rabo?
Y se da cuenta que a los que les están poniendo cachos con un taladro les están abriendo soberanos huecos allí en la frente, y le dice:
— ¡Ay no Satanás!, yo prefiero que me ponga rabo que ya tengo el hueco hecho, sumercé'.

¿YA SE VA?

Caperucita le decía al lobo:

— Espere y verá lobo feroz, le voy a decir a mi abuelita que usted me violó dos veces.

— Pero cómo así Caperucita si fue sólo una.

— ¡Ay!, ¿es que ya se va lobito?

EL ÓRGANO MÁS GRANDE

Yo no sé si ustedes compraron el periódico donde salió el hombre con el órgano más grande del mundo; oiga, mi mujer se asustó cuando vio esa foto porque era una cosa impresionante, el hombre que tiene el órgano más grande del mundo, es que imagínense ustedes, cuatrocientas cincuenta y siete teclas y cuarenta y nueve pedales, ah...

EL PRÍNCIPE SE VINO

Se había casado Blanca Nieves con el príncipe, así que los enanitos no se querían perder lo que era la luna de miel. Como la ventana era alta, entonces se sube uno encima de otro hasta que el que quedó de primero se asomaba y les contaba a los demás lo que iba pasando.

— El príncipe le quitó la ropa.

— El príncipe le quitó la ropa.

— El príncipe le quitó la ropa.

— El príncipe le quitó la ropa.

Así se contaban todos hasta que se enteraba el último. Luego:

— El príncipe la acostó en la cama.

— El príncipe la acostó en la cama.

— El príncipe la acostó en la cama.

— El príncipe la acostó en la cama.

El príncipe se alcanza a dar cuenta que los enanitos estaban asomados en la ventana.

— El príncipe se vino.

— El príncipe se vino.
— El príncipe se vino.
— Yo también.
— Yo también.

TENÍA UNA YEGUA

El hombre iba cabalgando con su caballo; de pronto se encuentra con una hada madrina y le dice:
— Pide tres deseos.
El primero que se le ocurre:
— Me pone mi parte noble como la del caballo, luego me pone como un gentleman y luego me pone con mucho dinero.
Ahí estaban los tres deseos. El tipo se va a una taberna donde había muchas mujeres y todas se le mandan. El tipo sube al cuarto y las llama a todas y se acordó. Oiga, el tipo no tenía caballo, era una yegua.

CUALQUIERA

— Oiga señor, quiero decirle que yo estoy enamorado de su hija y no por la plata.
— ¡Ajá!, ¿de cuál de las seis?
— Ah no..., cualquiera, cualquiera.

EL BASTÓN

El viejito empieza a lanzar gritos.
— Vieja, vieja, mira esta parte del cuerpo ha empezado a funcionar como cuando yo era joven, vieja, vieja, vení.
— Viejo, ¿cuántas veces le he dicho que no se acueste con el bastón?

ACORDÁNDOME

Contaba el viejito sus experiencias a los demás ancianos:
— Eso no es nada, estaba yo en un safari en Africa, de pronto me encontré con un león y ¡ayyy!, me hice del cuerpo.
Y dice uno:
— Sí, uno tiene que hacerse del cuerpo al ver un león.
— No, acabo de hacerme del cuerpo ahora acordándome.

EL ATRACO

La muchacha caminaba con su madrecita anciana, tarde de la noche, en la oscura noche, y de pronto sale un atracador y les dice:
— Ja, ja; quietas que voy a violarlas.
La niña, claro, toda púdica.
— ¡Ay no, no, no!, ¡a mi mamá no por favor, no!
Y llega la viejita y le pega un pellizco:
— Atraco es atraco, mija.

EL PURGANTE

El hombre vivía en un laboratorio donde hacen las drogas y resulta que el laboratorio se inventó una droga fabulosa que era un purgante en forma de chocolatinas, entonces él se va a visitar a su familia en un pequeño poblado donde vivían y se lleva varios frascos de esas chocolatinas, pero eran efectivamente purgantes. El tipo pasa varios días allí y se va, y cuando va llegando a Bogotá se acuerda que dejó los chocolates allá; sin saber que la abuelita ya se los había comido, cuando llega otra vez al poblado, al entrar a la casa, el baño quedaba un poco distante, pasa por el baño y se da cuenta que la abuelita de él está sentada en el inodoro, recostada su cabeza contra la pared y blanca, blanca, blanca. Entra el tipo a la casa y le pregunta a la mamá: Mamá ¿qué es lo que le pasa a mi abuela?

— No mijo, resulta que ella se comió unos chocolates que usted dejó por ahí y no ha parado de hacer del cuerpo; estamos esperando que acabe de hacer del cuerpo para enterrarla.

HOTEL

Entran a la habitación de un hotel, la hija y la abuelita, y ésta con ese ojo de águila se da cuenta que debajo de la cama hay un hombre desnudo.
— ¡Ay mija mire, mire mija, un hombre desnudo, mire, mire!
— ¡Ay abuela, llamemos a la policía!
— Nada de eso, yo lo vi primero.

ALGO ES ALGO

Viejitos conversando:
— Oíste, Eustaquio, ve, se me acaba de parar el reloj.
— Siquiera se le para algo; algo es algo mijo.

ME FATIGO

— Oigame doctor, imagínese que cuando yo voy donde mi novia en el primero me tiemblan las piernas, en el segundo me sudan las manos y en el tercero me fatigo.
— Oiga señor, pero ¿eso a su edad?
— No, es que ella vive en el tercer piso doctor.

YA NO ME MUERO

El viejito estaba agonizando y como última petición le pidió a sus hijos solamente darle un beso al Che Guevara. Tenían que cumplirle pues, lo que el viejito había pedido, darle un beso al Che Guevara, a como diera lugar, antes de que muriera. Y los hijos empiezan a buscar retratos del Che Guevara y no encontraban por ningún lado y de pronto salta uno y dice:

— ¡Uy hermano! yo me acabo de acordar de una cosa. Imagínese que la vecina de aquí al lado, ella tiene dibujado aquí en el muslo un retrato del Che Guevara. Pero lo tiene como de pa'rribita, no, como en zona peligrosa, pero pues si nosotros la convencemos, pues de pronto ella se va a dejar dar un beso en la foto del Che Guevara. Todo sea por el viejito.

Efectivamente van y convencen a la mujer y la mujer deja que el viejito le dé su besito al Che Guevara y empieza a gritar el viejito:
— Yo ya no me muero, yo ya no me muero, yo quiero darle un beso a Fidel Castro.

HIPERBOLES

* Tan vanidoso que en una boda quería ser la novia y en el entierro quería ser el muerto.
* Tan ególatra que se casó con un espejo.
* Tiene los pechos tan pronunciados que parece la muchacha del frente.
* Oiga, tiene los senos tan grandes que no puede cruzar los brazos.
* Tiene los senos tan grandes que le dicen "La Cuatrobrazos".
* Tiene los senos tan grandes que cuando los muchachos la saludan no le dicen mucho gusto, sino mucho busto.
* Tan grandes los senos que se quita el sostén y automáticamente queda sentada.
* Tan moderno el doctor que no cosía las heridas sino que les montaba cremallera.
* Tan moderno el señor que no lo trajo una cigüeña sino un helicóptero.
* Tan apetitosa la muchacha que ella misma se chupaba los dedos.
* Tan dulce su mirada, que quien la mira de frente contrae de una vez diabetis.
* Tan grueso el libro que su índice parece pulgar.

* Tan bonita que cuando se mira al espejo, ella misma se echa piropos.
* Tan bonita que hay que mirarla dos veces para creer que es cierto.
* Una manzana tan grande que la vendieron con todo y casas.
* Tiene tan grande los dedos que en cada uno usa guantes.
* Esa señora está más empollada que una cucaracha en una panadería.
* Tan feo el niño que cuando nació el que lloró fue el médico.
* Tan feo el niño que cuando jugaba a las escondidas nadie lo buscaba.
* Tan fea que cuando la vio el tigre se le cayeron las rayas del susto.
* Tan feo el niño que su mamá no le daba pecho sino espalda.
* Tan fea la pareja que sus dos primeros hijos tuvieron que botarlos a la basura.
* Tan bruto que cuando le pidieron un retrato llevó un espejo.
* Tan bobo que un día se perdió jugando a las escondidas.
* Tan imbécil que hasta cuando creció supo que no se llamaba "Callate".
* Más escandaloso que una gallina cuando va a poner.
* Tan vieja que cuando se casó no le pusieron el anillo sino que se lo atornillaron.

VIEJITOS

EL JOROPO

La viejita estaba con el viejito agonizante, y él como última petición le dijo que antes de morir le tocara un joropo. La viejita se le acercó y le dijo al oído:

— Viejito ya te vas a morir, ¿para qué tocarte el joropo?

— Bueno mija, tóqueme el jopo pero pasito.

OCHENTA Y CINCO AÑOS

Se levanta el viejito y se mira al espejo:
— ¡Eh Ave María!, estos cabellos, estos cabellos hoy están cumpliendo ochenta y cinco años; esos ojos, esos ojos, hoy están cumpliendo ochenta y cinco años, esa boca, esa boca hoy está cumpliendo ochenta y cinco años, ¡ay!, ese pecho, ese pecho moreno, hoy está cumpliendo ochenta y cinco años, ve, y esa cintura hoy está cumpliendo ochenta y cinco años, y eh, bueno, si usted no se hubiera muerto hoy estaría cumpliendo ochenta y cinco años.

UN CHEQUE

La viejita caminaba por la calle, de pronto le sale un atracador.
— Quieta, la voy a robar, muestre a ver qué tiene puesto.
La viejita se deja escular y el tipo mete la mano por todos lados a ver si encuentra un billete o algo de valor y sobaba y cogía a la viejita por todos lados, la escarbó por todo el cuerpo.
— No señora, siga que no le encuentro nada.
— ¡Ay no!, tranquilo, siga, siga, que yo le giro un cheque.

POLITICOS

EL PERÍODO

— Perdón doctor, queremos hacerle una pregunta: ¿Por qué cuando usted inició su período presidencial le llevaron dos camionadas de toallas higiénicas a la casa suya?
— Porque como me dijeron que el período era de cuatro años.

SIRVIENTAS

PARA CUANDO VENGA

El tipo se va de viaje.
— Merceditas, pero ¿para qué me alista la maleta y me da una caja de condones, si yo me voy es de viaje?
— No señor, la maleta es para el viaje, lo demás es para cuando venga.

VASO DE LECHE

La señora de la casa le pregunta a la sirvienta:
— Oíste María, ¿cuánto polvo hay que echar en un vaso para que quede lleno de leche?
— ¡Uuffff!

APETITO

Caminaba la señora con el niño de la mano, cuando de pronto ve que hay un burro en primavera y Benito se queda con los ojos abiertos:
— ¡Ssss uyu yuy!, ¡eso parece un trípode hola!, ¡uyu yuy! Mmm... mmm..., mami ¿qué es lo que tiene ese burrito?
La mamá le dice:
— ¡Ay nada mijo!
Iba pasando un borracho y le dice:
— Señora, le respeto el apetito.

LA EDAD

La señora va a pedir empleo.
— Dígame señora, ¿casada?
— Dos veces señor.

– ¿Edad?

– Veintisiete años.

– Ah..., también dos veces, ¿no?

UNO IGUAL

Era una jovencita bastante linda y ya había tenido su primer niño, y lo llevaba en brazos. Apareció un fascinoso de ésos que con tal de acercársele a la muchacha empezó a hacerle coqueteos al niño:

– Aa gu gu gu gu, oiga qué niño tan lindo.

Y la muchacha por quitárselo de encima le dice:

– ¡Ay!, si quiere le digo a mi marido que le haga uno igual.

CONCURSO

– A ver señora, vamos a ver, ésta es la última pregunta de este concurso para que usted se gane $ 1'000.000.oo. Señora concéntrese, ya me ha respondido muy bien las anteriores preguntas: ¿Qué le dijo, qué le dijo la esposa al esposo en la noche de la luna de miel?

– ¿Qué le dijo?, ¿qué le dijo? ¡ay no!, ésa sí me la puso dura.

– Coorrecto.

VARIOS

NO TUVIMOS TIEMPO

– A mi suegra, el otro día la mordió un perro.

– ¡Ajá!, ¿y le aplicaron una vacuna antirrábica?

– No, no, no, el perro salió corriendo, no tuvimos tiempo.

LLEGUÉ DE TERCERO

— Cuando yo era jinete de carreras, imagínate, en una competencia me pasó; estábamos en *derby* y arranca la carrera, claro yo montando mi caballo percherón mijito, y déle, déle, y de pronto en tierra derecha me caí.
— ¡Ajá!, ¿y usted qué hizo mijito?
— Noo, hice lo que pude pero llegué de tercero, mano.

YA ESTAMOS COMPLETOS

Un partido de fútbol se está jugando en el patio principal del manicomio, pero es un partido bastante raro porque solamente hay dos jugadores, pero supuestamente ellos son los capitanes de los equipos y los demás jugadores son todos imaginarios; de pronto llegó un loquito y les dijo:
— Oigan, ¿me dejan jugar?
Y el otro le dijo:
— No hermano, ya estamos completos.

PODERNOS ENTENDER

El campesino estaba leyendo un diccionario de español-francés, francés-español.
— Oiga mijo, ¿usted qué está haciendo ahí?
— No sumercé, lo que pasa es que yo acabo de adoptar un recién nacido que viene de Francia, entonces yo quiero aprender hablar pa' cuando el chino crezca, pues podernos entender, sumercé.

LEE EL PERIÓDICO

— ¡Ay, si busté viera esa belleza de perro que yo tengo allá!, ¡eso es mucho, ay no!, es que es divino, sumercé, el perro hasta lee el periódico.
— Oiga esa sí no se la creo.

– ¿No?, póngale cuidado. Pirula véngase pa'cá.

Le ponen un periódico y el perro empieza a mirarlo de lado a lado, a observarlo detenidamente, y como pasando página, página, pasa renglón, renglón.

– Oiga, pero yo no oigo que el perro lea.

– No, sumercé', lo que pasa es que el perro lee, pero no lee en voz alta, sumercé'.

DESCANSE UNAS SEMANAS

– Señor usted me debe $ 50.000 desde hace un año, y la verdad es que yo ya estoy aburrido de venir a cobrarle.

– Perdón, sumercé', ¿ya está cansado?

– Sí, ya estoy cansado.

– Mire descanse unas semanas y vuelve después.

LA CONSERVA SÍ ESTÁ BIEN

– Doctor, yo me vine pa'cá pa'cerle la consulta porque's que resulta, que mire, yo como tengo esa piel llena de granos, sumercé', a ver qué me receta.

– A ver, le voy a recetar este jabón que es muy bueno para la piel y la conserva.

– No, que sea para la piel, la conserva sí está muy bien.

ESTOY NERVIOSA

Los novios están haciendo el amor y ella lanza un suspiro y dice:

– ¡Aay, estoy nerviosa!

– No me digas, ¿es tu primera vez?

– No, ya otras veces me ha pasado.

NEGROS

¿QUÉ SE ECHA?

— Yo le quielo hacel una plegunta: ¿Usted qué es lo que se echa en la arepa todas las mañanas.
— ¿Margarina Rama?
— No, yo me echo talco Mexana.

ESTABAS JUGANDO BILLAR

En una oportunidad el negro se tropezó con una vieja amiga que había sido novia del tipo y se volvieron a reencontrar. Esa noche la pasaron rico, pasaron toda la noche juntos, el tipo dice:
— ¡Ay Dios mío!, ahora yo con qué le voy a salir a la negra, ¡no Dios mío!, esa mujer me va a matar, ¡no Dios mío, esa mujer me va a matar!, no, no no, ¿qué hago, qué hago?
Piense, piense, piense.
— ¡Ah sí!, me voy para un billar.
Se fue para un billar y empezó a llenarse la ropa de tiza de billar, y se fue para la casa, cuando iba a entrar a la casa vio que la negra, muy humildemente se había levantado a abrirle, y dice:
— No, yo soy un tipo muy ruin, le voy a contar la verdad.
— ¿Usted de dónde viene?
— Mi amor, sabe que lo que pasa es que yo me encontré con una novia y... nos fuimos a rumbear, fuimos a comer y pasamos toda la noche juntos.
Y se queda mirándolo la negra y le dice:
— Chicanero, vos lo que estabas era jugando billar.

JUEGO, JUEGO

Al lado de una mina de oro estaban inaugurando un estadio en el pueblito de los negros; entonces a la inauguración asistieron todos menos el celador de la mina de oro; empezaron el partido todo chévere, cuando de pronto en la mina estalla un cilindro de gas que tenían allí; se incendia la mina, el negro se sale corriendo y entra al estadio:
— Juego, juego, juego...
Y todos.
— No ya estamos completos.

VARIOS

¿CÓMO LO SUPISTE?

El tipo quería suicidarse por todos los medios, pero no había encontrado la manera propicia para hacerlo. Un amigo le recomendó:
— Mire hermano, haga una cosa: Se va para la calle y le coge la cola a un policía, eso les da mucha piedra y él, a la fija, que el policía saca su pistola y... tome su plomazo y hasta ahí llegó usted.
Efectivamente el tipo sale a la calle, busca un policía, alcanza a verlo de lejos, se le manda al policía y lo tarrea, y se voltea el policía y le dice:
— ¿Ay, cómo lo supiste gordo?

TIRA LA LIRA

Un tipo estaba tocando la lira en la terraza de su casa, cuando de pronto la lira se le zafó; cayó tres pisos, allá en la calle, y estaba esperando a alguien para que se la alcanzara. Efectivamente, pasó un tipo todo raro y le dice:

— ¡Ey, pisst!, ¡ey, tira la lira!

Y el que estaba abajo le dijo:

— ¡Ay! tara larará.

ESE OSITO ES MÍO

— Doctor usted tiene que ayudarme con el problema de mi papá, doctor.

— Cuénteme, tranquilo, a ver relájese, cuénteme ¿qué le pasó?

— Imagínese doctor, es que mi papá tiene la berrionda costumbre de pasársela jugando todo el día con un osito de peluche.

— Bueno señor, pues la verdá' es que los ancianos cuando entran a cierta edad, tienden a volverse niños, entonces no veo a quién pueda perjudicar con eso.

— A mí sí me perjudica doctor.

— ¿Y por qué?

— Porque ese osito de peluche es mío, mío y mío.

LA REINA DEL COLEGIO

— Papi, no sé cómo decírtelo, pero tengo una noticia buena y una mala.

— ¡Ajá!, a ver, dime la mala.

— La mala es que siempre allá en el colegio todo mundo empieza a gritarme: Homosexual, homosexual, homosexual.

— ¿Esa es la mala no? ¿y la buena?

— Me eligieron la reina del colegio papi.

ME DA MUCHA PIQUIÑA

Compartían apartamento y de pronto entra el tipo todo rarito y se da cuenta que su compañero de apartamento se va a ahorcar, pero tenía la soga amarrada a la cintura y no al cuello, y la otra le dice:

— ¡Ay ola!, ¿usted qué está haciendo ahí?
— ¿Aquí? ¿no me ve que me voy a ahorcar?
— Mamita si se va a ahorcar ¿por qué tiene la soga amarrada a la cintura?
    Y le dice el otro:
— ¡Ay es que en el cuello me da mucha piquiña!

CUENTOS DE BENITO

Una vez se le perdió un perrito a un pastuso y no quiso poner aviso en el periódico porque el perrito no sabía leer.

PASTUSOS

UN JARDÍN INFANTIL

Una vez un pastuso empezó a sembrar sus hijos en el patio porque él quería tener un jardín infantil.

LA MECHA POR DEBAJO

— Señor, ¿usted se acuerda de mí?
— Sí, usted fue el que vino ayer y compró una docena de velas.
— Sí señor, y se las vengo a devolver porque todas tienen la mecha por debajo.

NO ME GUSTA MUY DULCE

En el restaurante le preguntan al pastuso:
— Perdón señor, ¿cuántas cucharadas le pongo en el café?
— Pues, verá, póngamele veinte pero no me las revuelva porque no me gusta muy dulce.

MESEROS

LE TRAIGO UNA ARAÑA

— Mesero, mesero, mire, en mi sopa hay una mosca.
— ¡Ya, ya!, enseguida le traigo una araña.

¿SE AHOGÓ?

— Mesero, mesero, mire, aquí en mi sopa hay un mosco.
— ¡Ay, pobrecito!, ¿y se ahogó, hola?

BORRACHOS

ME DEVUELVO

El borracho llega a las 4:00 a.m., la mujer, como siempre, lo recibe con la concebida perorata, el regaño:
— ¡Ay, acaba de llegar este margarito chandoso!, ¡claro, cómo no!, viene todo vuelto una miseria, cómo huele a alcohol, una porquería, ¿usted de dónde viene?
— No me lo recuerde porque me devuelvo.

GUITARRA

— Oigame señor, ¿éstas son las horas de llegar?
— ¿Cuál llegar?, yo vengo es por la guitarra.

CON EL MISMO CUENTO

Contratan al borracho, pues el señor le pide un favor:
— Mire quédese usted aquí toda la noche en esta puerta, vigilando que no vaya a entrar ningún tipo desconocido a visitar

a mi señora. Tranquilo que cuando yo llegue, yo le voy a dar para el aguardientico.
— Bueno, listo papito, yo de aquí no me muevo.
— No vaya dejar entrar a nadie.

El tipo, efectivamente llega a las 5:00 a.m. y ve al borracho parado ahí a la puerta y le dice:
— ¿Qué hubo hermano?, ¿cómo le fue?, con permiso.
— ¡Cómo que con permiso! ¿pa' dónde va?
— Mire señor, yo soy el esposo de la señora, yo fui el que lo contrató.
— Aaah, no me venga con pendejadas, ya van cinco que se me entran con el mismo cuento.

OTRO DEBATE

Dos borrachos enfrente de un lavaseco se quedan mirando una de esas máquinas industriales que le dan vueltas y vueltas a la ropa para lavarla; los borrachos llevaban media hora mirándola:
— ¡Hip!, compadre, compadre, ¿están televisando otro debate en el Congreso, sí o no?

LEJOS DE LA CANTINA

— ¡Ah ya llegó este indio de los demonios!, claro, estaba bebiendo. ¿Estas son las horas de llegar?, ¿por qué llega tan tarde?
— ¿Yo qué culpa tengo que usted viva tan lejos de la cantina?

¿CUÁL PISO?

Salen de la taberna los borrachos y el uno le dice al otro:
— Esto está como resbaloso, hola, qué piso tan resbaloso.
— ¿Cuál piso?, ¡lo que usted está pisando es la pared, hola!

ME DA FUERZAS

— Bueno, dígame una cosa, ¿usted por qué toma tanto aguardiente?

— Mamita, sinceramente, ¡jutal, ¿usted quiere que yo le diga?, el aguardiente me da fuerzas para hacerle el amor.

— ¡Ay, venga papito le sirvo otra copa!

CANIBALES

DESPUÉS ME DEJARON VENIR

En misión evangelizadora se va el misionero con unas monjas a la selva inhóspita de Africa. Ellos selva adentro, de pronto se encuentran con una tribu de caníbales, y, pues eran bastantes peligrosos porque no alcanzaron a ver las monjas cuando ya se les mandaron encima a acabarlos, a comérselos. Salieron todos corriendo, pero lamentablemente una monja cayó en manos de los caníbales; ellos se van, regresan a Bogotá y empiezan a rezar por el alma de esa monjita, junto al Señor, cuando resulta que al año aparece la monjita, y todas las monjas:

— ¡Ay cómo así!, ¿a usted no se la habían comido los caníbales?

— Pues sí, pero después me dejaron venir.

LE FALTABA COMO SAL

Pregunta de la novia caníbal al novio caníbal:

— Mi amor, ¿cómo te cayó mi mamá?

— ¡Ay, no sé!, le faltaba como sal, no sé.

HIPERBOLES

* Tan bruto que le dijeron que se conectara el cerebro antes de hablar y casi se electrocuta.
* Tan bruto que para que no lo despertaran sus ronquidos se fue para otro cuarto.
* Esa muchacha es tan estúpida que me gustaría asistir al estreno de su cerebro.
* Tan viejo que cuando se levantaron los comuneros él ya estaba desayunando.
* Tan viejo que le tocó andar en zancos porque la Tierra aún estaba caliente.
* Ese señor es más ordinario que una paleta de mondongo.
* Más ordinario que lavar una aplanadora con champú.
* Más ordinario que bailar ballet amacizado.
* Tan flaco pero tan flaco que no tenía intestino grueso.
* Tan rica la familia que contrató un celador para que abriera la puerta de la nevera.
* Un niño tan pobre que en Navidad lo único que le trajo el Niño Dios fueron los dientes frontales de leche.
* Tan pobre que la última vez que comió carne fue la última vez que se mordió la lengua.
* Tan de malas que lo único que encontró fue una mujer perdida.
* Tan de malas que pidió un café cargado y se le disparó.
* Es tan tacaño que no da ni asco.
* Es tan tacaño que si presta atención cobra interés.
* Es tan tacaño que invita a la novia a soñar, porque como soñar no cuesta nada...
* Es que ese señor es más apretado que mano de bebé.
* Es más fácil encontrar una negra con el trasero chupado.
* Es más fácil estornudar con los ojos abiertos.
* Es más fácil pellizcar una bola de billar.

* Es más fácil prender una aguja en un espejo.
* Es más fácil engordar un mico a punta de inyecciones de yodo.
* Tan bajito que cuando llueve él es el último que se entera.
* Se duerme castrando un tigre.

PAISAS

PIDIENDO AUMENTO

— Patroncito yo vengo a pedirle el aumento de sueldo, acuérdese que usted me dijo que me aumentaba el sueldo, pues si yo..., si usted, estaba contento conmigo.

— ¿Y quién va a estar contento con esa maldita maña de pasársela pidiendo aumento?

LO REPARTIMOS

Se habían hecho estudios de varias partes del país para construir un importante hotel en Medellín. La primera propuesta de los chinos: Los chinos pasaron su propuesta, cobraban 2'000.000 de dólares por construir el hotel. Luego llegaron los franceses y éstos cobraban 4'000.000 de dólares por construir el hotel. Y luego apareció el paisa y dijo:

— No, venga pa'cá papá, ¿sabe cuánto cobro yo por hacer este hotel?, yo cobro 8'000.000 de dólares, papá.

— ¿Cómo así que 8'000.000?

— ¡Sí claro!, póngale cuidado: 2'000.000 pa' los chinos para que ellos lo construyan y el resto nos lo repartimos entre usted y yo, papá.

DOCTORES

ESTABA ESTUPENDA

Entra la muchacha donde el doctor y éste le dice:
— Bueno, desnúdese.
— Pero doctor, usted me hizo desvestir ayer y me dijo que estaba estupenda.
— Por eso mamita, desnúdese.

DONDE LA VIENEN A PONER

— Padre acúsome que perdí mi virginidad.
— ¿Cómo así niña?, eso no se debe hacer.
— Sí padre, pero es que donde la vienen a poner.

CON UN HÉROE

— Papi, ¿sabe qué?, yo sÓlo voy a casarme con un héroe.
— Tranquila mijita que el que se case con usted ya tiene ganado ese grado.

VIRTUOSÍSIMA

Decía la mujer:
— Yo soy una mujer virtuosísima, del burdel a la casa y de la casa al burdel.

EL INJERTO

— ¿Doctor usted se acuerda de yo?
— ¡Ay, como no me voy a acordar de usted si ha sido una de las operaciones más difíciles que yo he realizado en mi vida, señora!

— Sí, sí, no, acuérdese que yo tuve un accidente sumercé' y eso fue mucho lo jodido porque, ¡ay!, les tocó, cómo me raspé la cara, les tocó cambiarme un pedazo de piel de este cachete sumercé', pero entonces eso es lo que yo quiero saber, ¿el injerto de dónde lo hicieron?

— Pues hombre, le sacamos parte de la nalga y se la colocamos en la cara.

— Con razón yo no puedo ver un asiento porque la cara se me quiere sentar.

POR QUINTA VEZ

— Vea señor doctor, yo vengo a que usted me haga por quinta vez la cirugía.

— Ah, mi señora, ¿quiere que le diga una cosa? no le voy a seguir haciendo cirugías. ¿Sí ve ese huequito que tiene ahí en el cuello? si yo le llego a estirar el cuero, seguro que va a quedar con chivera mi señora.

QUE ME QUITE LA VERGÜENZA

— Doctor ayúdeme por favor con mi problema.

— A ver dígame qué le pasa mijo.

— Doctor últimamente me está dando por salir con hombres, de tener relaciones con hombres y al otro día me da mucha vergüenza.

— ¡Ajá!, y usted quiere que yo le quite esa costumbre de salir con hombres.

— No doctor, yo quiero que me quite la vergüenza, doctor.

UNA ESPONJITA

La señora llega donde el doctor y le dice:
— ¡Ay doctor, míreme, míreme!, ¿sí ve? tengo un seno más grande que el otro.

Le dice el doctor:
— Señora le aconsejo que le diga a su marido que para entretenerse mejor se compre una esponjita.

DIENTE

La señora le pregunta al odontólogo:
— ¿Doctor con qué saldrá el amarillo de este diente?
— A ver, déjeme ver, yo creo que eso sale con un pantalón café, sí.

CHARLAMOS LOS CUATRO

— Doctor ayúdeme por favor, ayúdeme por favor, tengo un problema de doble personalidad.
— Ah mijito, siga y charlamos los cuatro.

LECCIONES A BENITO

— A ver Benito, aprovechemos para tomarle la tarea. A ver Benito.
— A ver mamita.
— Póngale cuidado a esta pregunta: ¿Por qué no hay perros en la Luna?
— En la Luna no hay perros porque como en la Luna no hay árboles.
— ¿Cuáles son los carros de papá Noel?
— Los Renaults.
— ¿De dónde se saca la lana virgen?
— La lana virgen se saca de las ovejitas que corren más rápido.
— ¿Quiénes fueron los caldeos?
— Ah, pues los que inventaron el caldo.

— Si yo digo fui hermosa, eso es tiempo pasado. ¿Si yo digo soy hermosa?

— Eso es exceso de imaginación.

— Benito ¿por qué le pedimos a Dios el pan nuestro de cada día?

— Porque si le pedimos el de la semana se nos endurece.

— A ver niño, verdadero o falso: Dos radios hacen un diámetro.

— No eso es falso, lo que hacen dos radios es una bulla.

— ¿Quién mató a Goliat?

— Nunca lo diré porque mi papá me ha enseñado que sapo nunca seré.

DOCTORES

YA VAMOS LLEGANDO

El doctor llevaba trabajando con el señor como media hora y sáquele muelas y sáquele muelas, y el pobre tipo con la mano en la cara:

— ¡Ay doctor! usted me está sacando todas las muelas menos la cariada.

— Paciencia, paciencia, ya vamos llegando, ya vamos llegando.

ME AMENAZÓ

— Doctor, ayúdeme con mi problema, es mi mujer doctor, imagínese ella me da látigo, me mantiene amarrado a la pata de la cama, me castiga, me da palo, me maltrata, no me deja ver los partidos de fútbol, me administra la plata, fuera de eso me cela con todo el mundo, se la pasa pegándome.

— Bueno y si ella lo trata así ¿por qué no la deja?

— Porque ella me amenazó que si me iba se volvía mala.

MATRIMONIO

SE ME OLVIDARON LOS FÓSFOROS

El hombre había salido hacía diez años y no volvieron a saber nunca más de él. Un día entró a la casa y dice:
— ¿Qué hubo mija?
— ¿Cómo así que qué hubo mija?, vea, yo tanto que lo esperé a usted, ese día yo me acuerdo que usted se paró y me dijo voy a ir a comprar cigarrillos y se fue y han pasado diez años y usted me dejó abandonada. ¡Ayayay, qué dolor!
El tipo se devuelve; iba saliendo...
— ¿Hola y usted pa' dónde va?
— No mi amor, se me olvidaron los fósforos.

NADIE

La madre escribía versos que nadie leía. El hijo escribía novelas que nadie publicaba. La hija escribía cartas de amor que nadie escribía. El padre, cheques que nadie aceptaba.

SE LE QUEDAN ENCIMA

— ¿Cierto Benito que yo soy una persona muy joven?
— Pues yo no sé, yo solo oigo que a usted no le pasan los años.
—¿Cierto que no?
— No, sólo se le quedan encima.

CUANDO NO LE PAGO

— Oiga hermano dígame una cosa, ¿su mujer le pega?
— ¿Que si mi mujer me pega?, pues eh..., sólo cuando no le pago hermano.

¿QUÉ CULPA TIENE?

— Mi amor hoy estamos cumpliendo diez años de casados, voy a matar la gallina.
— No mamita, ¿el animalito qué culpa tiene?

LOS CINCO MEJORES AÑOS

La mujer le recrimina al hombre:
— No, no puede ser que me dejes, si te he entregado los cinco mejores años de mi vida.
Y el tipo:
— ¿Cómo así, ésos fueron los cinco mejores años, hola?

LA SEÑORA SE VA

El hombre va a recibir al aeropuerto a su mujer pero tiene una cara bastante triste. Ella se queda mirándolo y le dice:
— ¡Ay claro!, mire esa cara que pone usted, todo triste porque me está recibiendo, pero vea ese señor que está allá y mírelo como está de contento.
— Mamita, usted está equivocada, ese señor no está recibiendo a la señora, ella se va.

LO QUE USTED CREE

La mujer le dice al esposo:
— Si yo fuera veinticinco años más joven me volvería a casar contigo.
— Eso es lo que usted cree, ¡ja!

CIGARRILLO

— Oiga mi amor dejé el cigarrillo.
— Eso sí se llama fuerza de voluntad.
— No, eso se llama distracción, ayúdeme a buscarlo antes que se nos arme un incendio por acá.

NOTICIAS

— ¿Doctor qué noticias me trae?
— Le traigo una noticia buena y una mala.
— ¡Ajá!
— Su mujer murió.
— ¡Ajá!, ¿y cuál es la mala?

¿NO ESCUCHÓ?

La mujer hablándole a su amante mientras están en la cama:
— Respóndale a mi marido ¿o es que no escuchó que qué hace aquí en la cama?

ME TRAE MALA SUERTE

— Mi amor quiero separarme de ti.
— ¿Cómo así?, ¿que se quiere separar de mí?, un momento, un momento, usted se acuerda cuando estuvo hospitalizado tanto tiempo, que estuvo en una clínica, en estado de coma durante tres meses, ¿quién carajos estuvo pendiente ahí de usted, quién lo cuidó?
— Sumercé' mi amor.
— ¿Se acuerda el día que se cayó por estar cambiando una teja, que se partió las dos piernas no?, lo llevaron pa'l hospital, ¿quién estuvo pendiente?
— Usted mi amor.

— ¡Ah!, pero no se acuerda el día que se electrocutó aquí en la casa arreglando la instalación, ¿se acuerda que ese día también se lo llevaron de urgencias para el hospital? ¿Quién estuvo pendiente de usted?

— Usted mi amor.

— Después de todo eso, vuelvo y le pregunto, ¿por qué quiere separarse de mí?

— Porque usted me trae mala suerte mija.

NO SALÍA CON MI MARIDO

Estalla el cilindro de gas y la pareja de esposos van a dar a la calle; claro, él está bastante aporreado, ella también está bastante aporreada pero en vez de llorar sonríe.

— ¿Y por qué tan contenta?

— Porque hace mucho que no salía con mi marido.

VARIOS

ME HA FALTADO

Esto sucedió en Hollywood. Viene un mariposo corriendo y le dice a un policía:

— Mire señor policía, ese señor que está allá me ha faltado.

— ¿Pero cómo que le ha faltado?, ¡si ese señor es Robert Redford!

— Por eso, me ha faltado y me faltará toda la vida.

LO ESTOY DUDANDO

Después que se realiza el juicio y el acusado es absuelto de todo cargo, el abogado lo llama aparte y le dice:

— Venga para acá; dígame sinceramente, pero aquí entre los dos, ¿usted sí robó el banco?

— Pues mire, la verdad es que yo sí robe el banco pero con su defensa, ¿sabe que lo estoy dudando, hola?

UNA HELICÓPTERA

Ahí esta otra vez el tipo raro mirando por los binóculos.
— ¡Ay mi general, mi general!, mire, por los binóculos veo que se acerca una helicóptera.
— Un helicóptero.
— ¡Uy, pero qué vista mi general!

BOQUINCHES

¿HAY ESMALTES?

Entra un boquinche a la droguería y le pregunta al dependiente:
— ¿Hay esmaltes?
— No señor, hoy es miércoles.

TENGO UNA PULGA

Cansado de la vida que llevaba aquel tipo, cosas de mi Dios, él había nacido sin los dos brazos, el hombre se iba a suicidar, se iba a tirar desde lo más alto, desde un puente hacia un río para ahogarse; el tipo está preparado para tirarse cuando ve que del otro lado del puente viene un tipo con el mismo problema, sin brazos, pero este tipo venía caminando con sabor, con swing, como bailando salsa, y dice el otro tipo:
— Ve, mi Dios no quiere que me quite la vida, qué ejemplo el que me ha dado el señor que viene allá, él tiene el mismo problema que yo y no piensa en suicidarse, por el contrario baila porque la vida es para eso, para reír, para bailar, para cantar.

Y va, lo alcanza y le dice:
— Mire, a usted le debo la vida, usted tiene el mismo problema que yo y no piensa en quitarse la vida, mire cómo baila, mire eso, cómo se mueve, mire, mire, mire qué ritmo cadencioso.
Y le dice el otro:
— No hermano es que tengo una pulga en mala parte y me está picando.

MAÑANA ES SÁBADO

La muchacha se había conseguido un novio boquinche y entonces ella le estaba haciendo visita en la casa; él sale a despedirla a la puerta y el boquinche le dice:
— ¿Mamol mañana vienes?
— No, mañana es sábado.

GASAS

Estudió para instrumentalista el boquinche; es el que tiene que pasar los instrumentos quirúrgicos al que está operando; entonces el cirujano empezó:
— Bisturí.
— Besturí.
— Tijeras.
— Tejeras.
— Hilo.
— Hiloo.
— Gasas.
— De nada a lo olden.

ENORME RISOTA

Entran unos tipos malévolos a un convento y violan a unas monjas, pero una fue la que resultó más perjudicada,

se la llevan a un hospital y la madre superiora va al otro día a visitarla porque parece que está al borde de la muerte.
— Doctor vengo a preguntar que pasó con sor Teresa.
— Pues la verdad es que tenemos que hacerle cirugía plástica.
— ¡Cómo!, ¿si fue violada, cómo le va a hacer cirugía plástica doctor?
— Sí, es que tenemos que borrarle esa enorme risota que le quedó en la cara.

CUENTOS DE BENITO

PESQUÉ UNA PENICILINA

Que un microbio se encuentra con otro microbio y le dice: ¿Oiga usted por qué tiene esa cara? No, es que anoche pesqué una penicilina.

VARIOS

¿OTO QUÉ?

Era el eco más famoso que existía en el mundo, en el cañón del Chicamocha, allá en Santander. Usted decía una palabra y él se la repetía. Pues el hombre quería ir a comprobar a ver si eso efectivamente sucedía. Se para al borde del precipicio y empieza:
— Olga.
— Olga, Olga, Olga, Olga.

– Cabeza.

– Cabeza, cabeza, cabeza, cabeza.

– Otorrinolaringólogo.

– ¿Oto qué?, ¿oto qué?, ¿oto qué?

MI QUERIDO WATSON

¿Por qué Sherlock Holmes no le volvió a decir a su compañero mi querido Watson? Porque la gente estaba empezando a murmurar.

ENCANTADÍSIMO

El se encontró una lámpara de Aladino, sale el genio y le concede un deseo, pero al concederle un deseo, Aladino le advierte:

– Usted no puede repetir ese deseo tres veces, porque queda encantado.

Entonces el tipo dice:

– Yo quiero que aparezca Sharon Stone y esté conmigo. Yo quiero que aparezca Sharon Stone y esté conmigo. Yo quiero que aparezca Sharon Stone y esté conmigo.

Lo repitió tres veces y el hombre quedó encantado, encantadísimo.

VIEJOS

ESA FOTO

– Abuelito a mí siempre me ha causado curiosidad esa foto de cuando usted se casó, vea, usted está sentado y mi abuelita está parada, ¿por qué?

– Porque en ese entonces esa foto la sacamos después de la luna de miel y la verdad es que yo no tenía aliento para pararme y a ella le dolía sentarse.

ERA UN SEMÁFORO

Van caminando por la calle los dos viejitos y le dice uno al otro:
– Eustaquio para, para Eustaquio, ¿te diste cuenta de la flaca de ojos verdes, que me picó el ojo allá en la esquina?
Y le dice el otro:
– ¿Cuál flaca que te picó el ojo allá en la otra esquina?, ese era un semáforo, pendejo.

ES LO ÚNICO QUE PUEDO LEVANTAR

El viejito le pega soberano grito a la viejita:
– Vieja ya deje de molestarme.
Y le dice la viejita:
– Viejo deja de levantarme la voz.
– Pero vieja, si a mi edad es lo único que yo puedo levantar.

AGRADEZCA

En una pelea decía el viejito:
– Agradezca ¿oyó?, agradezca, agradezca que tengo miedo.

¿CON FILTRO O SIN FILTRO?

El paisa dice:
– Voy a mamarle gallo a este viejo pereirano: Oigaaaa un kilo de azúcar.
– No me grite que no soy sordo, ¿con filtro o sin filtro señor?

CON TODA

Le preguntaban al político:
— Oiga señor qué de cierto hay que su partido piensa acabar con la corrupción?
— Con toda y se lo digo.

SIRVIENTAS

La sirvienta era bastante inútil, no servía para casi nada, la señora de la casa era la que tenía que hacer el aseo, lavar la ropa, cocinar, en fin, todo. Hasta que un día la sirvienta se cansó, hizo las maletas. Coge su ropita y va saliendo.
— Pero cómo así, ¿como así que usted se va? si yo soy la que hace de todo aquí.
— Por eso sumercé, pero a mí no me gusta cómo hace usted el aseo.

VARIOS

CON SEMEJANTE TIEMPO...

Les voy a contar lo que me pasó con una rubia que me invitó a su apartamento y yo me fui detrás de ella como un pendejo, y recién llegamos esa mujer se volvió como loca, ahí no más llenó la tina de agua y empezó a salpicar gritando:
— Lluvia, lluvia, lluvia.
Yo dije:
— Ve ¿a ésta qué le está pasando?
Luego sacó un bombón grande y empezó a darle duro y empezó a gritar:
— Truenos, truenos, truenos.

Luego se fue para el interruptor y empezó a prenderlo y apagarlo y empezó a gritar:
— Relámpago, relámpago, relámpago.
    Después prendió el ventilador:
— Tempestad, tempestad.
— ¿Ala y usted por qué no se fue del apartamento?
— No, pues, con semejante tiempo ¿quién se iba?

CÓJALOS PARA USTED

— Muy bien señor, usted ha ofendido al señor policía, entonces le vamos a cobrar $ 10.000 de multa. Ofendió a la persona que lo demandó durante cuatro oportunidades, así que le ponemos $40.000 más de multa. Ofendió a los policías que lo trajeron aquí y como ellos eran cuatro son $ 40.000, entonces son $ 90.000.
    El tipo saca y le da $ 100.000 al juez.
— Perdón, era a $ 10.000 por insulto, fueron nueve insultos, son $ 90.000, sobran $ 10.000.
— No, esos cójalos para usted.

NO HAY QUE TENER VACAS

En el capitalismo tienes dos vacas, vendes una y compras un toro. Con el comunismo, tienes dos vacas, el gobierno te coge las dos vacas y te vende la leche. Con el nazismo, el gobierno coge las dos, y te pega un tiro. En el sindicalismo, tienes dos vacas, el gobierno las coge, mata una, ordeña la otra y riega la leche. En el socialismo, tienes dos vacas y le das una a tu vecino. Moraleja: No hay que tener vacas para no meterse en problemas.

IMITANDO

Un señor estaba conversando con Ramiro:
— Pues sí Ramiro.
    Y de pronto estaba por ahí cerquita Benito, imitándolo:

— Pues sí Ramiro.

— Como te cuento, la tarde anterior yo salí.

— Como te cuento, la tarde anterior yo salí.

    Al señor se le sale la piedra y llama a la mamá:

— Mire señora, este niño me está imitando.

— Benito venga para acá, ¿cuántas veces le he dicho que no me gusta que se haga el pendejo?

HIPERBOLES

* Anda más una lombriz en un polvorero.
* Corre más una babosa con el rabo destripado en un polvero.
* Es tan sordo que no escucha ni la voz de la conciencia.
* Tiene más ojos que una cosecha de piñas.
* Tiene más ojos que una taza de caldo.
* Tan narigón que puede fumar debajo de la ducha.
* Tan orejón que escucha hoy lo que va a escuchar mañana.
* Tan alto que para verlo de pies a cabeza hay que descansar en el ombligo.
* Tan alto que cuando almuerza los alimentos le llegan al estómago totalmente avinagrados.
* Tan fea que nunca se le apareció un espanto por miedo a asustarse.
* Tan feo que cuando se mira al espejo piensa que el reflejo le está haciendo muecas.
* Tan feo que cuando el diablo lo vio se echó la bendición.
* Es que ese tipo es más feo que un barberazo en la garganta.
* Es tan feo que cuando Dios lo hizo se sentó a reírse.
* Es que sabe más un burro de telegrafía.
* Tan bruto que cuando vio a un pavo dijo que era una gallina florecida.
* Tan bruto que creyó que la vascular tenía que ver con las básculas.
* Tan añejo el vino que la botella está arrugada.

* Tan bruto que compró un pantalón bota de campana y al otro día lo devolvió porque no le sonaba.
* Tan viejo que ayudó a cargar baldados de tierra para formar el mundo.
* Tan viejo que con una arruga más queda disfrazado de uva pasa.
* Tan viejo que estuvo a punto de ser degollado por el rey Herodes.
* Tan flaco que cuando le dispararon la bala lo atravesó, pues no tenía espacio donde quedarse.
* Tan flaco que se puede bañar en un termómetro y le sobra campo para enjabonarse.
* Tan flaco que se puede motilar en un sacapuntas.

VARIOS

CÓMPRELE UN ENCENDEDOR

Suena el teléfono en el consultorio del doctor:
— Aló doctor, mire es que tengo un problema, mire es que el niño se acabó de comer unos fósforos.
— Pues cómprele un encendedor.

FUNCIÓN DE BAILE

En pleno centro de Bogotá hay un perrito dando una función de baile, canto y teatro, pero un perrito chiquitico, un pincher; y el perrito cogía la guitarra y empezaba:
— La, lara, lara, la, la, la, la.

Y echaba chistes y saltaba y la gente se fue aglomerando y la multitud alrededor del perrito, y el perrito declamando, haciendo obras de teatro. De pronto apareció la perra, la mamá del perrito, lo tomó por la parte de atrás y se lo llevó, y el perrito les dice:

— ¡Ay qué pena con ustedes!, lo que pasa es que mi mamá no quiere que yo sea artista sino veterinario.

SERÁ ESTRELLARNOS

Un ratón iba cruzando la carretera y tenía que pasar la vía férrea y cuando va pasando la vía resulta que le queda atascado un piececito, y el ratoncito tirando fuerte porque el tren se acercaba, y tire y tire, y ya cuando estaba cerca el tren, dice el ratoncito:

— ¡Ay!, pues será estrellarnos.

NO ME CREA

Una vez había dos vacas y una hacía:

— Muuuuu, muuuu.

La otra le dijo:

— ¡Ah bien!, entonces no me crea.

QUIETO O LO MOJO

El hombrecito quería entrar a eso de volverse atracador, pero no tenía un revólver de verdad, o sea que se compra una pistola de agua y se va a atracar; cuando le sale el primer paisano le dice:

— Quieto o lo mato.

— ¡Ay hermano eso es una pistola de agua!

— Bueno, entonces quieto o lo mojo, señor.

LE MANDO OTRO ANÓNIMO

Los dos gamines se encuentran; uno viene bien vestido y el otro le dice:

— ¡Uy! ¿y eso hola?, ¿a qué se dedica?, véalo cómo viene de bien vestido, todo papi. Cuénteme, ¿usted qué está haciendo?

— No hermano, imagínese que a la Geithner le mandaron un anónimo amenazándola, ento's la hembra me contrató a mí de guard'espaldas.

— Oye ¿verdá' hermano? ¡uichh!, ¿y entonces cómo va hacer cuando se le acabe la contrata?

— No, pues le mando otro anónimo y listo.

EL MENOR SÍ ESTÁ BIEN

— ¿Y qué tal andan tus hijos?

— Pues te cuento, el mayor se casó. El menor sí está bien.

APRENDIENDO A SUFRIR

Te cuento que ahora a mi familia le dio por tocar instrumentos, por volverse músicos. El mayor está estudiando violín en la casa, mi hija está estudiando saxofón en la casa, mi mujer está estudiando piano en la casa.

— ¿Y tú que estás aprendiendo?

— No, yo estoy aprendiendo a sufrir en silencio.

NACIÓ SANO

Supremamente fea la señora. Horrible la señora y le gustaba alardear; le estaba contando a un compañero:

— ¡Ay no!, pues imagínese, mi hijo heredó mis ojos, mi pelo y el color de mi piel.

Y le dice el amigo.

— ¡A bueno!, pero lo importante es que nació sano, ¿no?

Se va para cine

— Ala mijo, yo tengo un perro que es una soberana maravilla; imagínate que uno le da $ 500 y va y le compra el periódico y se lo trae a uno, ala, eso es una maravilla.

— ¡Ja!, ¿y usted piensa que le voy a creer?

— ¿Que no?, si quieres te lo presto esta noche.

Efectivamente, le presta el perro, el tipo dura dos días con él, y se lo lleva.

— No mire, aquí le traigo este chandoso, eso es pura mentira, el otro día le dí $ 1.000 y se me perdió todo el día.

— ¡Ah no mijo!, es que hay que darle $ 500; cuando uno le da $ 1.000 el perro se va para cine, hermano.

FEO, FEO, FEO

El hombre totalmente feo, pero feo, feo, feo, un cólico con ojos, y llega a la droguería y le dice al dependiente:

— ¿Señor me hace el favor y me vende un preservativo?

El otro se queda mirándolo. ¡Ja!, le vende el preservativo y cuando va saliendo el tipo ese, feo, feo, feo, le grita:

— Oiga acuérdese que caduca en el 96.

ME VUELVO A PEGAR UN BESO

Esta escena se lleva a cabo en un vagón de tren: Están sentados una anciana, un gringo, una muchacha, un gomelo y bueno, va el tren andando, y de pronto, entran a un túnel. Cuando entran allí se escuchan un beso y una cachetada, salen del túnel y la viejita se queda pensando:

— ¡Ja!, cómo está la vida, vea, esos gringos cómo han cambiado su forma de proceder, cuando entramos al túnel él aprovechó y llegó y besó al gomelo y el gomelo sacó y le pegó su cachetada.

El gringo pensaba:

— Ese gomelo es un desgraciado, se pone a besar a la muchacha y yo fui el que me gané la cachetada.

La muchacha pensaba:

— ¡Ay, pero cómo es eso!, cómo está la vida hola; no dejó sino que entráramos al túnel y el gringo se le mandó y besó a la viejita y la viejita fue y le pegó su cachetada.

Y el gomelo pensaba:

— Lo que es en el próximo túnel me vuelvo a pegar un beso en la mano y vuelvo y le pongo la cachetada al gringo.

HOSPITAL

Pasa por un hospital la campesina y se da cuenta que a una señora le están haciendo un lavado y entonces se va para la casa y le cuenta a la señora:

— Sumercé' yo jamás voy a estar en un hospital porque cuando uno no se toma la sopa se la hacen tomar por detrás, eso no.

LECCIONES A BENITO

— A ver Benito.

— A ver mamita.

— ¿Por qué los elefantes tienen la piel arrugada?

— Porque se acuestan con ella puesta.

— Verdadero o falso.

— La zanahoria es buena para la vista.

— Verdadero, la zanahoria es buena para la vista, ¿o usted cuándo ha visto un conejo con gafas?

— Niño ¿se puede comer la carne de ballena?

— Sí se puede comer la carne de ballena.

— ¿Y qué se hace con los huesos?

— Se dejan en el borde del plato.

— ¿Las almas después de ir al purgatorio a dónde van?

— Se van pal' baño.

— ¿De dónde salen los mosquitos?

— Los mosquitos salen de las naricitas.

— ¿Qué hizo Adán después de cometer el pecado original?

— Se fue a darle la vuelta a la manzana.

— ¿Quién inventó el alambre?

— El alambre lo inventaron dos tacaños peliándose por una moneda.

— ¿Qué es alfalfa?

— Es la primera letra del alfabeto griego pronunciada por un tartamudo.

¿SACAR PLATA?

El hombre era multimillonario, pero tacaño como él solo. En cierta oportunidad llegan los de la Cruz Roja a pedirle una colaboración, y el tipo empieza a hablarles:

— Vean, mi esposa en días pasados sufrió un derrame cerebral, la metí en un hospital de caridad y por allá está abandonada; mi hija mayor metió las patas y por eso cree que yo la voy a ayudar, pues resulta que no. Ahí está, por ejemplo, mi hijo menor, el otro día se partió una pata, él mismo tuvo que pagarse la medicina, el enyese, todo. Mi hija la medianita, ¡ay!, ésta, no, se estrelló con un carro y está metida en la cárcel porque no pudo responder por eso, todos ellos son mi familia y no han logrado sacarme un peso, ¿y ahora usted viene de la Cruz Roja y cree que me va a sacar plata?, no, no, no.

PREGUNTA BENITO

— ¿Por qué nosotros en los ojos tenemos niñas y no niños?

— Porque si tuviéramos niños lloraríamos en chorrito.

¿VOLVIÓ A JARTAR?

— Mami, mami ¿la Tierra por qué gira tanto?
— Este chino se empendejó, ¡se volvió a jartar el aguardiente!

PROHIBIDO

— Mami, mami, hoy me enteré en el colegio que Nerón incendió a Roma, que Calígula mandaba a matar a sus guardianes.
— Bueno, bueno, listo ya, de ahora en adelante queda rotundamente prohibido que usted se junte con esos niños ¡y ya!

JUGUETES

Se le arrima Benito a un celador de un supermercado grande y le dice:
— Señor, señor, si en diez minutos viene una señora llorando, buscando a un niño como yo, dígale que estoy en la sección de juguetes.

DOS PÁGINAS AL TIEMPO

— ¿A usted no le da pena niño que el vecino, ese niño que es bizco ocupe el primer puesto y usted que está bien ocupe el puesto 50?
— Mami es que ser bizco es una ventaja, ¿no ve que uno puede estudiar dos páginas al tiempo?

CON RAZÓN SALTABA ASÍ

— Mami cuando a uno le echan tíner en los ojos, ¿le arden?
— ¡Claro mi amor!
— Con razón mi hermanita saltaba así.

¿A QUÉ EDAD?

Benito se queda mirando a la mamá que se está maquillando, se echa un polvo encima de otro, una crema encima de otra, luego se echa el labial y Benito le dice:
— ¿Mami a qué edad yo puedo ensuciarme la cara en vez de limpiármela así como hace usted?

QUE ME CONVIERTA EN UN T.V.

Los papás de Benito no hacían más que mirar T.V. No había cosa más importante que mirar T.V. El niño se arrodilla en el piso, junta sus manitas, y le pide con voz ferviente al Señor:
— Señor, que yo me convierta en un T.V. para que mi papi y mi mami me miren más.

HABLA CON MI PAPÁ

Suena el teléfono en el colegio, la profesora contesta:
— ¿Aló?
— Aló, mire ¿hablo con la profesora de Benito?
— Sí, sí con ella habla.
— Ah, muy buenos días, ¿cómo está usted?
— Bien.
— Profesora, eh..., no hallo cómo decirle, el niño Benito amaneció bastante enfermo, está en la cama con 39 y pues entonces yo llamo para excusarlo y para pedirle a ver si usted puede aumentarle un 10% en todas las calificaciones, como petición personal. Otra cosa profesora, a ver si usted me lo pasa para adelante donde los niños desaplicados para que él pueda tomar del pelo. Otra cosa cuando llegue tarde al colegio, pues no lo regañe que el muchacho se entristece y pues, eso a mí me duele.
— Eh, sí, sí, ya oí, pero ¿con quién hablo?
— Señorita, habla con mi papá.

PASTUSOS

FUI POR EL PIJAMA

La señora tenía de invitada a una pastusa, se estaban tomando en ese momento un tecito con galletitas, hablando, la estaban pasando muy chévere; cuando de pronto se viene un soberano aguacero, de ésos pero cosa berrionda; eran las 8:00 p.m. y entonces la señora le dice:

— Mija, ¿pero para qué se va?, quédese esta noche aquí conmigo, espere que voy a subir a arreglarle la habitación, espere.

Ella sube y le arregla la habitación; cuando baja encuentra que la pastusa está lavada, lavada.

— ¿Qué le pasó, hola?

— Es que me fui por el pijama hasta la casa, sumercé.

REPUESTOS CADA DÍA MÁS CAROS

El español llega a Pasto y le dice a unos pastusos que estaban ahí:

— ¿Cómo están vuestras mercedes?

— Bien, los repuestos cada día más caros, pero ahí van.

RENAULT A LAS ESPALDAS

— Oiga pastuso, ¿a dónde va usted con ese Renault 4 a las espaldas, mijo?

— ¡Ay carajo!, otra vez se me olvidó quitarme el cinturón de seguridad.

Por babor

El marinero boquinche sube al barco y dice:

— ¿'Onde está mi capitán?

— Por babor.

— Por fafor, ¿'ónde está mi capitán?

MAL PROPORCIONADA

— ¿Quiere que le diga una cosa, compadre? Pa' mí que la tal Sharon Stone está mal proporcionada.
— No sea bruto, ¿por qué dice eso?
— Yo digo que la Sharon Stone está mal proporcionada; verá ¿a usted cuándo se le ha proporcionado? ¡No! A mí tampoco... está mal proporcionada.

BORRACHOS

CHIVO NUEVO

El borracho llega donde el gerente del circo:
— ¡Juta!, nié, mire señor, ¡hip! gerente de barco deee... circo, yo la verdad es que le tengo ¡juta!, una función para que nos llenemos de plata; oiga, una función, vea chusquísima de verdad.
— A ver, cuénteme cómo es.
— Mire la función es así: En una jaula nosotros metemos a un león y un chivo y se ponen a pelear; es una función divertidísima, divertidísima, divertidísima... Sólo tiene un problema.
— ¿Qué?
— Que para cada función hay que comprar un chivo nuevo.

NUNCA ME AVISAS

El borracho abre la puerta y se da cuenta que su mujer está con otro en la cama:
— Eres una desgraciada, ¿por qué nunca me avisas cuándo llega? ¡ah!

SI FUERA VINO

Esto dijo el borracho mientras miraba el mar en Cartagena:
— ¡Ay Dios mío! si todo ese montón de agua fuera vino.

SE ESTÁ PONIENDO BORROSO

Están dos borrachos sentados en la barra del bar y uno se para y se va al lado del otro y le dice:
— Oiga compadre, no beba más, le aconsejo que no beba más.
— ¿Por qué?
— Porque es que ya se está poniendo borroso.

BONITO COLOR

Ustedes saben que los borrachos se goterean hasta los entierros. Efectivamente, llega el borracho a goterearse un entierro; entra:
— Oiga, es..., est... est..., está como apagadita la fiesta, ¿no?
Se fue para el ataúd, se quedó mirando el ataúd como cinco minutos.
— Oiga señora, ¿me puede decir de qué murió el difunto?
— Murió de fiebre amarilla.
— Oiga, bonito color, bonito color.

MARCIANOS

Llegaron los marcianos y lo primero que querían era ver gente; pero era un marciano todo vuelto una miseria, pues tenía un solo ojo en la frente, la boca la tenía en la espalda, un brazo lo tenía por delante y otro por detrás. En fin, pues era una cosa totalmente diferente; el marciano se baja del platillo volador y un borracho es el único que está parado ahí al frente del marciano y éste apenas ve al borracho le dice:
— Yo quiero ver gente.
— ¿Gente? Usted lo que necesita es un cirujano, ¡papá!

BENITO

¿Qué le dijo la oveja al trasquilador? Le dijo: Señor, hágame el corte de siempre.

COGIDOS DE LA MANO

Dos pescaditos iban cogidos de la mano y cuando se dieron cuenta que no tenían manos se soltaron.

VARIOS

ME ESTABA PONIENDO LOS GUAYOS

Se estaba jugando un partido de fútbol entre los insectos y los elefantes y los insectos tenían como estrellas al ciempiés, a las hormigas; en fin, se estaba jugando el partido; faltaban diez minutos ya para acabarse el partido y los elefantes iban ganando 5 a 0; de pronto señoras y señores, entra la gran figura del equipo, el ciempiés, el partido terminó 6 a 5 claro y el capitán de los elefantes se dirige al capitán de los insectos y le dice:

— Oiga, ¡qué jugadorazo!, ¿por qué no lo había puesto a jugar antes?

Y dice el ciempiés:

— No mano, es que me estaba poniendo los guayos.

¿BOXEADOR?

— Una limosna para este pobre boxeador.
— ¿Boxeador?, ¿con quién ha boxeado?
— Con los que no me han dado la limosnita.

¡QUÉ TARDE ES!

La señora le pregunta al borracho:

— ¿Perdón señor, qué horas son?
— Ne, me, son las 6:27 de la tarde señora.
— ¡Ay jue'madre!, se me hizo tardísimo, ¡qué tarde es!
— ¡Ah! ¿por qué no preguntó más temprano?

EL DOBLE

Le dicen al gordito:
— Hermano, usted está hecho el doble de Robert Redford, igualito.
— No, no, el doble, el doble.

UNA PIERNA EN LA TUMBA

Le amputan una pierna al pobre caballero y llega un amigo de ésos que hablan en plural y de ésos que a veces no cuidan mucho la lengua y poniéndole la mano bastamente sobre el hombro le dice:
— ¡Ajá mijo!, conque tenemos una pierna en la tumba, ¿no?

SE FUE A AVERIGUARLO

— ¿Y esa cara que tienes, qué pasa mijo?
— Es que anoche le dije a mi mujer: ¿Qué tienen los demás que no tenga yo?
— ¿Y qué pasó?
— Se fue a averiguarlo.

¡QUÉ MEMORIA!

— ¿Sí sabes, no?, Adelita ayer en un arranque de furia le contó todas sus infidelidades a su marido.
— Ala, ¿qué valor, no?
— Qué valor no, ¡qué memoria!

SI VIERA CÓMO SE DIVIERTEN

Se contaban algunas infidencias entre amigos sobre cómo ellos hacían el amor con su señora; uno contó una experiencia, otro contó otra y de pronto se paró el más atrevido y dijo:
— No hermano, yo la cojo, la agarro de las mechas, la tiro encima de la cama, le quito la ropa, los niños ahí, la castigo, eso sí, a más no poder, la azoto contra el piso...
— Hombre, ¡pero no sea bestia!
— Sí, pero si viera cómo se divierten los niños.

INSEGURO

— Oiga hermano, me dicen que usted es muy inseguro, ¿verdad?
— ¡Eh! quizás..., a lo mejor..., no sé...

¿SIGUE DERECHO?

El gamincito hace parar el bus.
— ¿Señor usted sigue Derecho?
— Sí señor.
— ¿Y dónde va a poner el consultorio cuando se gradúe?

¿QUÉ ES PIROMANÍA?

— Mami, mami, ¿qué es piromanía?
— Cuando se le apague el pantalón le digo.

NUNCA PIERDAS LA CABEZA

Una vez iba un perrito por la carretera y de pronto al pasar la autopista ¡puff! pasó un camión y le voló la cola y el perrito pasó al otro lado y se puso a llorar por la cola auú, auú, auú... y entonces el perrito dijo:

— Yo me voy a devolver por la cola, y cuando fue por la cola, pasó la autopista y pasó una aplanadora y lo espichó. Moraleja: Nunca pierdas la cabeza por un rabo.

HIPERBOLES

* Tan de malas que se casó y le resultó una mujer sin sexo.
* Más peligroso que besar una cobra en ayunas.
* Tan malo el ventrílocuo que movía los labios inclusive cuando no decía nada.
* Tan depravado que se metía los dedos de las manos en la nariz para cogerle el rabo a las niñas de sus ojos.
* Ese descansa más que un recién nacido.
* Un carrotanque viejo, tan viejo que tiene el velocímetro de arena.
* Tan depravado que no comía perros calientes sino perras en celo.
* Es más duro que un mordisco de loca.
* Esa muchacha baila más que mesa coja.
* Pero es que esa muchachita es más simple que una sopa de tuercas.
* Fuma más que una loca desvelada.
* Más cansón que una visita con pecueca.
* Tan feo el niño, que la mamá le decía: Si viene el coco cuidadito con ir a asustarlo.
* Tan bruto que compró un ascensor dizque porque iban a subir.
* Es que es tan bobo que se pierde pasando un puente.
* Tan bruto que le dieron una finca para que la manejara y la estrelló.
* Cuando el volcán iba a hacer erupción el alcalde les recomendó que se subieran a la parte más alta: Se subieron al volcán.

* Aquel tipo no se había casado por la Iglesia sino por bruto.
* Tan viejo que le dicen el hombre semilla; la tierra ya lo está reclamando.
* Más viejo que la costumbre de andar a pie.
* Tan flaco que su pijama no tenía sino una sola raya.
* Tan delgadas las tajadas de pan que sólo tenían un lado.
* Ese tipo aguanta más hambre que un chivo en un garaje.
* Tan flaca la vaca que no da leche, da lástima.
* Aguanta más hambre que un ratón de ferretería.
* Tan gordo que no tiene lado flaco.
* Tan gorda que nadie le ha llegado al corazón.
* Tan gorda que a su esposo lo llaman el montallantas.
* Tan gordo que para bajarse de la cama simplemente tiene que voltearse.

DICE BENITO

¡Ja! los adultos a veces se comportan como niños; mi papá tan grandote y el otro día lo encontré jugando con una muñeca grande.

¿QUIÉN LOS ENTIENDE?

Es más, ¿a los adultos quién los entiende? Mi papá esta mañana me pegó una bofetada por sacarle la lengua a la profesora y por la tarde me pegó otra bofetada porque no le quise sacar la lengua al doctor.

NO ES ESTÚPIDO

— Cierto mami, ¿cierto que no?
— No mi amor, su mercé no es estúpido.
— ¿Cierto que no?
— No mi amor, el que te hayan vendido la torre Eiffel dos veces, no quiere decir que seas estúpido.

NOS TRASTEAMOS

Golpean la puerta de la casa, abre Benito:
— Usted es el que cobra el arriendo, ¿cierto?
— Sí niño; dígame, ¿su mamá está?
— No, ella no está.
— ¿Y su papá?
— El tampoco está.
— ¡Ajá! ¿Cuándo puedo venir por lo del arriendo? ¿Será por ahí el jueves?
— No, no, el jueves no; porque como el jueves nos trasteamos.

SE ESCONDIÓ

Golpean a la puerta, abre Benito:
— Niño, ¿está su mamá?
— No, no, ella no está.
— ¿Su papá?
— El también se escondió.

LA MARQUITA DEL PRECIO

Benito acompaña a su papá para conocer a su hermanito recién nacido que todavía no ha salido de la clínica; aún está pues..., hace apenas algunas horas que acaba de nacer el niño y como a los niños les colocan en el dedo gordo del pie una etiqueta con el nombre y todo, Benito pasa por el lado de donde se encuentra el hermanito, lo ve todavía con la marquita y le dice:
— ¡Uy! papi, todavía no le han quitado la marquita del precio, vea...

EL FRENILLO

A Benito siempre lo llevaban donde el odontólogo y el odontólogo le colocó frenillo. En cualquier ocasión, días más tarde,

173

el niño pasa en buseta por el frente del edificio donde queda el consultorio odontológico y resulta que lo están reparando. Así que hay un andamio inmenso, grandísimo enfrente del edificio y dice:
— ¡Uy! mire mami, le pusieron frenillo al edificio del odontólogo.

¿VELOCIDAD O PRECISIÓN?

— A ver Benito, respóndame pero rápido.
— ¿8 x 8?
— 39.
— Muy mal.
— Bueno, ¿usted quiere velocidad o precisión?, ¡hola!

DE AREPAZO

— A ver Benito, dígame ¿cuánto es 35 x 78?
— 8.
— Muy bien hijo.
— Sí, verdad, muy bien y eso que lo dije de arepazo.

NO ME ACORDÉ QUÉ NÚMERO

Encuentran al niño robando zapatos en un almacén, lo coge el inspector de policía y se lo lleva para la inspección y el juez recrimina a Benito:
— Pero niño, ¿acaso cuando estabas robando esos zapatos no pensaste en tu madre?
— Sí, pero es que no me acordé qué número es el que calza.

ANULAR CITA

Suena el teléfono:
— Aló, ¿buenos días?
— Sí, ¿el señor Mata?

— Sí, con él, ¿qué quiere?
— No, mire es para anular la cita.

¿ESTÁ CONCHITA?

Suena el teléfono y esta vez es Benito el que contesta:
— ¿Aló?
— Hágame un favor, ¿está Conchita?
— No, estoy con Tarzán.

QUE SE PONGA BRILLO

— Aló, ¿está Pepe o Paco?
— Sí.
— Pues dígale que se ponga brillo.

TELÉFONO ERÓTICO

— Aló, teléfono erótico ¿a la orden?
— Oiga, mire, todo esto es pues la berriondera, esto del teléfono erótico; pero dígame, ¿cómo hago?, es que los huequitos del teléfono son muy pequeños.

CON CORBATA

Un hombre va caminando por el desierto y está subiendo el sol canicular, le va quemando la piel; mientras continúa caminando, caminando, está que desea por todos los medios un vaso de agua; de pronto, se encuentra un vendedor de corbatas:
— Corbatas, corbatas, corbatas a la orden. Señor, ¿va a comprar corbatas?
— No, ¡qué corbatas, hermano! Yo lo que tengo es sed, me muero de la sed.
— Ah bueno, corbatas, corbatas...

El tipo se aleja, sigue caminando, Egipto; el sol canicular sigue todavía quemando; empiezan a aparecer algunas llagas sobre la piel del hombre. Más adelante se encuentra otro vendedor de corbatas:

— Corbatas, corbatas, corbatas para el desierto, señor.

— Noo, yo quiero un vaso con agua.

— Ah bueno, corbatas, corbatas...

Se aleja el tipo; de pronto, al fondo alcanza a ver un oasis; el tipo sale corriendo y va a entrar al oasis y lo detienen y le dicen:

— ¡Qué pena señor!, pero aquí hay que entrar con corbata.

ROSARIO

Van a entrevistar al cura porque es un padrecito que se la pasa enclaustrado y le preguntan los periodistas:

— A ver padre, ¿usted por qué nunca sale de aquí, de la iglesia?

— Es que la verdad, sabe que yo aquí tengo todo, todo lo que necesito: rosario, biblia, oración. ¿Quieres tomar algo, hijo?

— Sí, un tintico.

— Rosario, tráigame un tintico para acá, hágame el favor.

TODAVÍA NO ME GUSTA

— ¿Tú por qué nunca dejas que mi mamá venga a visitarnos acá en la casa? Tú me prometiste antes de casarnos que mi mamá viviría acá con nosotros cuando gustase.

— Sí, pero es que todavía no me gusta.

NO ES MI SUEGRA

— Señor, de parte de la Policía; señor, le queremos decir una cosa, le cuento esto: Hemos encontrado a su suegra.

— ¿Sí, y qué ha dicho?

— No, no nos ha dicho absolutamente nada.

— ¡Ah! entonces ésa no es mi suegra.

SOBRA MUCHO

El loco se quería escapar del manicomio; entonces, para escaparse empezó a amarrar las sábanas; las amarró todas y luego las ató a la pata de la cama y tiró las sábanas por la ventana y se dio cuenta que en el piso sobraba mucha sábana y dice:
— ¡Ay Dios mío!, no me puedo escapar, eso sobra mucho.

AHÍ NO SE DISPARE

El barco había quedado averiado en un témpano de hielo, no se podían mover para ningún lado; ellos llevaban quince días ahí tirados en altamar, desesperados y no hallaban qué comer. El capitán con su enorme valentía dice:
— Queridos marineros, he tomado una decisión; yo soy el culpable de haberlos traído hasta acá y voy a ofrendar mi cuerpo para que lo comáis; saca un revólver y se lo mete en la boca, entonces salta un marinero por allá y dice:
— ¡Ay! no, no, ahí no se dispare que a mí me gustan los sesos con huevo.

POR PICADA

Dos muelas están hablando, están tiradas en un baldecito de ésos de un odontólogo; y la una le dice a la otra:
— ¿Y usted por qué está acá?
— No, yo estoy aquí por picada ¿y usted?
— No, yo estoy aquí por coca.

NO ME ECHE LOS PERROS

Dicen que en algunas poblaciones tienen la costumbre, las señoras madres de familia, de ponerle unos nombres a los hijos todos rebuscados, digámoslo que bastante rebuscaditos. Bueno, ahí está: En alguna ocasión, un vendedor de zapatos golpea la puerta tac, tac; abre la señora:

— A la orden, señora, le traigo zapatos para toda la familia: zapatos para los niños, zapatos para grandes, zapatos para el tío, zapatos para la abuelita, zapatos para todos.

La señora se acuerda que sí, que tiene necesidad de comprar zapatos para toda la familia; así que empieza a llamar a todos los hijos: Mesmer, Aminala, Cabeloledia, Nereida, Noraiva. Y el señor recogiendo los zapatos:

— Mire señora, si no me va a comprar zapatos ¿por lo menos no me eche los perros, sí?

CAMPESINOS

IBA VACÍA

— Merceditas, ¡usted cómo está de enferma de ese pecho!

— Ay sí sumercé', toque por acá, ¿si ve cómo estoy toda malita del pecho?

— ¿Qué le pasó?

— Sumercé', es que, ¿cómo le explico?; lo que pasa jue que yo ayer me vine del pueblo, ¿sí? y como yo estaba malita del pecho, y cuando yo me vine ahí en la flota, en el transporte sumercé', po's resulta que el puesto que me tocó a mí, sumercé', eso no tenía ventana y entonces, eso me entraba todo ese chiflón así y eso jue lo que me puso mala.

— ¡Ajá! ¿y por qué no cambió de puesto con alguien que estuviese ahí?

— No, yo qué iba a cambiar de puesto con alguien, ¿no ve que eso iba vacía?

A LA CAIMANA

— Señor, me hace el favor y me vende una carne al carbón y un arroz a la caimana.

— Perdón, perdón, ¿cómo dijo el arroz?
— A la caimana.
— No, pero si es que aquí nosotros no tenemos arroz a la caimana.
— Usted no me entiende. A la caimana de mi mujer que está allá ajuera, sumercé'.

NO ES PELIGROSA

— Oígame campesino, ¿será que esta carretera es muy peligrosa?
— No sumercé', la carretera no es peligrosa; lo peligroso son los abismos que la circundan.

VARIOS

DE JUDÍA Y DE NEGRO

Benito resulta ser hijo de judía y de negro y cualquier día llega pensativo a la casa y le pregunta la mamá:
— ¿Qué pasó mi amor?, ¿usted por qué viene así como pensando?
— Mami, respóndame esto: ¿Yo soy hijo de judía y de negro, no?
— Sí, sí, por qué?
— Mami, ¿yo he sido discriminado durante doscientos o dos mil años?

¿CUÁL SIRENO?

Caminando por las calles de Cartagena el tipo va todo chévere, chévere, cantando lo más de lindo: Que nos entierren juntos en la misma tumba... Cantando lo más de chévere en la playa; de pronto, empezó a gritar el tipo porque ve que está pasando algo allá en la playa:

— Un sireno, miren allá hay un sireno, un sireno. Y el tipo que estaba botado por allá le dice:

— ¿Cuál sireno? ¿No ve que es un tiburón que me está comiendo y me lleva por la cintura?

YO POR ACÁ

— Ala mijo, hace rato que no te veía, ¿qué te pasó?

— Estuve en Africa.

— ¿En Africa, ala?

— Estuve con los caníbales.

— ¿Con los caníbales mijo? ¿y qué te pasó?

— Pues imagínate, dimos con la tribu caníbal; de pronto, el jefe de la tribu me salvó la vida porque a los demás se los comieron vivos; y él me mandó llamar a su habitación privada, el hombrecito se enamoró de mí, me puso la lanza en el cuello y me dijo:

— Sacacaca o si no muerte.

— Y yo qué hacía hermano, pues tocó sacacaca y así durante tres meses.

— Dale gracias a mi Dios de que estás vivo, por lo menos has conservado la vida.

— Sí hermano, ¿pero qué vida va a ser ésta? El por allá y yo por acá.

BENITO LOS PIDIÓ PRENDIDOS

Que una vez un campesino se fue a comprar bombillos y de una vez los pidió prendidos porque en su casa no había luz.

DIETA BALACEADA

El pastuso que agarró la nevera a puros disparos, pa, pa, pa, porque no ve que el médico le había recetado una dieta bien balaceada.

NO PUEDEN PASAR

Tenían que pasar por la Aduana todos los carros, lógico tenían que revisarlos. Venía una pareja en un Renault 4; pasaron justo por la Aduana de Pasto y ahí los hicieron detener. El policía pastuso les dice:

— ¿Me hace el favor y me puede prestar los documentos del carro?

— Sí, cómo no señor; mire, aquí están.

— Mire señor, no pueden pasar.

— Pero ¿cómo así que no podemos pasar?

— Sí, porque mire, aquí dice Renault 4 y ustedes son dos; entonces no pueden pasar.

— No, no me venga aquí con pendejadas; yo quiero hablar ya mismo con su superior.

— Sumercé', hace dos días está encerrado con la parejita de un Fiat 1.

BENITO PREGUNTA

— ¿Qué hace un policía pastuso cuando le dicen que han asaltado un barco? Pide la descripción del banco.

VARIOS

TENÍA HIPO

El tipo entró a la taberna y pidió un vaso con agua:

— Señor, ¿me hace un favor? Un vaso con agua.

Y el dependiente lo único que hace es sacar una metralleta, se la pone er la cien y le dice:

— Si usted se mueve papá, lo mato.

Y así lo mantuvo durante diez segundos.

— Ya se puede ir, váyase.

El tipo sale todo asustado, con las piernas temblorosas; se para un tipo y le dice:

— Señor, perdóneme; yo me quedé mirando todo lo que usted hizo y no me parece justo, o sea, ¿por qué hizo eso?

— No, el tipo vino a pedir un vaso con agua porque era que tenía hipo. Ya se le quitó, tranquilo.

CON PERLAS

En el restaurante:

— ¿Señor, las ostras que usted pidió las quiere con limón o con pimienta?

— No, no, las quiero con perlas.

BORRACHOS

¿ALLÁ FUE DONDE ESTUVE?

El borracho iba caminando por la calle:

— ¡Qué bacanería!, ¡juta!, ¡ay! qué pomarrosa tan linda que tengo.

De pronto se encontró con un amigo:

— Oigame, quiero felicitarlo. Anoche estuve yo dictando una conferencia en Alcohólicos Anónimos y lo vi sentado ahí, ese es el principio de la regeneración; usted estuvo anoche en la conferencia.

— ¡Ah ve!, ¿allá fue dónde estuve?

ME TRAJO LA CIGÜEÑA

El borrachito estaba en la fiesta pero ya se estaba poniendo bastante mamón y nadie lo había invitado y sin embargo, ya estaba pellizcándole las nalgas a las camareras, vomitándose;

estaba tirándose la fiesta pa' decirlo en palabras castizas. El dueño de la fiesta se dio cuenta de aquella faena y lo llamó:
— ¿A usted quién lo trajo?
— A mí me trajo la cigüeña ¿y a usted?

DE BACANERÍA

— Oígame, ¿usted qué me recomienda? Es que tengo una gripa desde hace rato.
— ¡Ah, no mijo!, haga como hago yo ¡hip!, ¡juta!, cuando a mí... cuando a mí me da gripa yo me tomo un tequila doble.
— ¿Y con eso le pasa a uno la gripa?
— No, no le pasa la gripa pero la pasa de bacanería, ¡papá!

NUNCA HAGO EL RIDÍCULO

— Oigame compadre, yo aunque beba mucho nunca hago el ridículo.
— Cierto compadre, súbase los pantalones y vaya adonde su mujer a que le quite el maquillaje.

IBAMOS EN MOTO

— Compadre, el otro día ¡juta, mano!, nosotros..., un policía de tránsito nos paró porque llevaba tres personas adelante.
— Me extraña compadre, yo estoy cansado de llevar tres personas adelante de mi carro.
— Sí, pero valiente gracia, nosotros íbamos en moto.

¿DE QUÉ AÑO?

— Disculpe señorita, ¿usted me puede decir dónde estoy?
— Señor, usted está en el puente del 20 de Julio.
— ¿De qué año señora?

LA SUEGRA

— Yo, yo antes, la verdad, es que yo bebía mucho, ahora no. Cuando empiezo a ver doble, pues paro ahí, porque no hay cosa más berraca que llegar a la casa y ver a la suegra doble.

MUJERES

AUNQUE HAYA QUE PAGARLES

En una reunión de mujeres una levanta la copa y dice:
— Yo brindo por los hombres aunque mal paguen ellos.
Luego se para otra, por allá:
— Yo brindo por los hombres así no sepan pagar.
Y luego otra, por allá, una viejita:
— Yo brindo por los hombres aunque haya que pagarles.

RESISTIRSE A LA LEY

— ¡Ay mamita! ¿usted por qué lo hizo?, ¿por qué se dejó seducir de un policía?
— Porque es un delito resistirse a la ley.

EL ÚNICO LUGAR SEGURO

La muchacha del banco era la encargada de recibir todas las encomiendas de plata que llegaban y ella se las guardaba en el seno, porque era el único lugar seguro al que sólo accedía la mano del gerente.

HIPERBOLES

* Come más que un bobo recién purgado.
* Tan retrógrado que tiene el corazón a la derecha.
* El sitio es tan malo que se aburre hasta dormido.
* Tan racista que le regalaron una casa y la devolvió porque estaba en obra negra.
* Un potrero tan pendiente que las vacas pastan con cinturones de seguridad.
* El aeropuerto es tan inseguro que al final de la pista tiene un cementerio.
* Vuelve más un perro donde lo capan.
* Más inútil que un bolsillo en la espalda.
* Tan débil que cuando cayeron las sombras de la noche lo aplastaron.
* Tan flojo que sólo se casó con su novia cuando se la embarazaron.
* Más quebrado que un tabaco en un bolsillo de atrás.
* Tan fea la muchacha que no usa cosméticos Helena Rubistein sino Helena Frankestein.
* Tan feo el preso que el día que lo sentenciaron le nombraron un juez sin rostro.
* Ese tipo es más feo que pelear por la comida.
* Más feo que uno haciendo del cuerpo y otro mirando.
* Tan fea que cuando se quita la ropa no queda empelota sino en ridículo.
* Tan tonta que para contar 1 + 1 se tenía que quitar el sostén.
* Tan bruto que su mujer tuvo trillizos y salió en busca de los otros dos tipos.
* Tan bruta que vendió el T.V. para poder comprarse un betamax.
* Tan bruto que tiene una floristería y cierra el día de la madre.

* No amarra los zapatos porque no sabe cómo meter los pies después.
* Tan viejo que conoció al Sagrado Corazón de pantalón cortico.
* Tan viejo que trabajó de ascensorista en la Torre de Babel.
* Tan viejo que es mucho mayor que el abuelito.
* Ese tipo es más viejo que el hilo negro.
* Tan gordo que no viaja en bus sino en remolque.
* Come más que un bobo cuidando una casa.
* Es tan gordo que si se queda quieto se hunde.
* Tan gordo que para desearle el feliz año había que deseárselo desde diciembre.

VARIOS

CON EL MAYOR SIGILO

— Soldado Parachoques, hágame el favor de ir a buscar al sargento Pérez con el mayor sigilo.

Y se va el soldadito y busque y busque; como a las cinco horas llegó y dice:
— Qué pena capitán, yo encontré al sargento Pérez, pero al mayor Sigilo no lo encontré.

¡QUÉ CUÑADAS!

Dos soberanas monjas, pero divinas las monjas, golpean la puerta y vienen recolectando cosas para los niños pobres y le dicen al señor que acaba de abrir la puerta:
— Buenas tardes señor, somos hermanas de Dios.
— ¡Uy! ¡qué cuñadas!

LA TORRE EIFFEL

Se organiza una excursión para bizcos, para tuertos; van en el avión y les están enseñando las partes geográficas y toma la voz el capitán:
— Señores tuertos, señores bizcos, miren a su derecha y ustedes verán a su izquierda la Torre Eiffel.

'EJELO AHÍ

El señor del labio leporino era ayudante del camionero y en ese momento estaban cuadrando el camión:
— 'Ele, 'ele, 'erecha, 'erech, tuérzasela 'oda, i'quierda, i'quierda, 'ele, 'ele, 'ele.
Y de tanto darle se fue al vacío.
— 'Ejelo ahí.

HASTA DOS

Un tatareto, de ésos que hablan original y tres copias; en esta oportunidad estaba tomando un curso de paracaidismo y le explicaba el instructor:
— Póngale cuidado, señor; usted lo que tiene que hacer es lo siguiente: Salta, tira de la argolla y cuenta hasta diez.
— Has... has... hasta... hasta cu... ¿hasta cuándo te... tengo que... co... con... contar?
— Hasta dos no más, mijito.

HACIENDO UNA OBRA DE CARIDAD

Como cosa rara entra una monja a una taberna y empieza a tomar, y a tomar, y cuando ya estaba tomadita uno de los meseros llega y dice:
— Perdón, ¿acaso las monjas no beben?

187

— Permítame ¡hip...! yo le digo una cosa ¡juta!; yo estoy haciendo una obra de caridad, la monja superiora está estreñida, para cuando yo llegue y me vea así, se le va a aflojar el estómago.

VARIOS

¿ESO SÍ ES VIDA NO?

Dos calaveras están hablando en un cementerio y de pronto pasan por un mausoleo bastante suntuoso lleno de una losa italiana. Una suntuosidad pero bárbara... y llega una calavera y le dice a la otra:
— Oiga mija, ¿eso sí es vida, no?

CON CUALQUIERA

La viejita entrando a la cárcel:
— Dígame señora, ¿usted a qué viene?
— Yo vengo a visita conyugal.
— ¡Ajá! a visita conyugal, ¿dígame con qué preso?
— No, con cualquiera, con cualquiera.

DENME PA'L PASAJE

Suele suceder en algunas familias que no alcanza a morirse el abuelo o la abuela, cuando ya están agarrados hasta por el nudo de una morcilla; cosa molesta porque ahí se demuestra qué poco querían a los viejecitos. Pues en esta ocasión el viejecito está agonizando:
— ¡Ay, ay, ay!
Dice el hermano mayor:
— Yo creo que cuando el viejito se muera toca enterrarlo con todos los honores, una carroza fúnebre, le gastamos buena plata al viejo, porque al fin y al cabo, toda la plata es del viejo.

El hijo menor empieza:

— Noo, a mí no me parece, yo creo que debería ser un poco más barato, poco suntuoso, ¿para qué llamar la atención si cuando uno se muere es cuando menos debe llamar la atención? Ya para qué, uno es materia; lo mandamos en un cajón normal, que lo entierren y listo, ¡ya!

Por allá de pronto habló la hija menor:

— No, yo creo que ni siquiera carroza, ¿para qué? Qué vamos a gastar plata en carrozas. Esa plata la podemos utilizar en otras cosas, por ejemplo...

Se para el viejecito y dice:

— No, no se preocupen denme pa'l pasaje y me voy en buseta.

YO TENDRÍA DÓNDE SENTARME

Los jóvenes hoy en día son demasiado groseros con los abuelos. El abuelo se subió al bus y el bastoncito le temblaba y resulta que eso iba lleno de jóvenes y ningún joven fue capaz de cederle el puesto al viejecito. El bus pegó un frenazo y ese viejecito fue a caer en una forma aparatosa; se pegó en la cabeza; y se para un joven y dice:

— ¡Ja! si le hubiera puesto un caucho en la cabeza del bastón no se hubiera caído, viejo pendejo.

Y le dice el viejecito:

— Sí, y si su papá se hubiera puesto un caucho usted no estaría acá y yo tendría dónde sentarme.

CARA DE VIEJO

La mamá de Benito llega de la sala de belleza y le dice a Benito:

— Benito, míreme, míreme, me corté el cabello, bien hasta arriba. Vea, vea, ¿cierto que ahora no tengo cara de vieja?

— No, no. Ya no tiene cara de vieja, ahora tiene cara de viejo. Lamiéndose las pestañas ·

— Alá Ramiro, la verdad es que yo no sé por qué ese viejito tiene tanta suerte con las mujeres; es que a sus setenta y nueve años tener tanta suerte con las mujeres, tener varias novias y ahí; ¿qué hace el viejito? Nada: Sentado todo el día en su mecedora, lamiéndose las pestañas, lamiéndose las pestañas.

EN UNA LATA

Toda la prensa se conmocionó porque un cubano llega a Miami flotando en una lata de carne; y entonces, llegan los noticieros y le preguntan:
— Bueno, ¿y qué fue lo más difícil de su travesía, desde Cuba en una lata de carne?
— Hombre, lo difícil no fue salir de Cuba y llegar a Miami en una lata de carne; lo difícil fue conseguir una lata de carne en Cuba.

IMAGÍNESE QUE ES UN PLATO

La muchacha del servicio le dice a la señora:
— ¡Ay! sumercé', imagínese que no puedo romper el hielo.
— Imagínese que es un plato y verá cómo lo rompe.

UNA MANITO

— Mire Merceditas, si usted no trabaja más rápido yo me veré obligada a conseguir otra muchacha.
— ¡Ay! sí sumercé', sería bueno una manito, sí señora.

TANTEAR EL AGUA

¿Cuál es la mejor manera de tantear el agua antes de bañar un niño? Ustedes meten al niño, si el niño se pone morado es porque el agua está fría y si se pone rojo es porque está hirviendo.

BENITO PREGUNTA

¿Por qué la pastusa está cocinando con la estufa fría? Porque está preparando un plato frío.

SALGO PRIMERO

Por primera vez se encuentran dos presos que van a compartir la celda durante muchos años y uno le pregunta al otro:
— Oiga, ¿a usted a cuántos años lo condenaron?
— A noventa y siete ¿y a usted?
— A noventa y cuatro.
— Bueno, entonces yo cojo la cama del lado de la puerta, porque como salgo primero...

SE PUEDE COBRAR POR VENTANILLA

— Oígame señora, ¿el perro que usted trae ahí, es cruzado?
— No, no, se puede cobrar por ventanilla.

CUENTOS DE BENITO

PARA LA CASA DE CHITA

Que una vez llegó Tarzán a golpearle la casa a Jane, ¿no?; tac, tac y le gritaba a Jane: Abrame, vea, si usted no me abre me voy para la casa de Chita.

SE LO CUIDO

Un trasbordador fue enviado a Marte; cuando llegaron allí fueron recibidos por los marcianitos. ¿Qué fue lo primero que le dijeron los marcianitos cuando lo vieron?
— Se lo lavo mono, se lo cuido mono.

HASTA QUE COMAN

Que Papá Noel llegó a Etiopía y le preguntó a los niños:
— ¿Ya comieron?
Y todos:
— Noo, noo, no.
— Pues no les doy regalos hasta que coman.

¿POR QUÉ SOMOS TAN POBRES?

Había dos ovejitas mexicanas hablando y una le dice a la otra:
— Oye mamá, ¿por qué somos tan pobres teniendo tanta lana?

¿SÍ VIO ESAS PIERNAZAS?

Dos zancudos estaban hablando y de pronto pasa una zancuda volando y uno codea al otro:
— ¡Uy hermano!, ¿sí vio esas piernazas?

OREJAS

— Mami, me rascan las orejas.
— Pues rásqueselas usted.
— ¿Pero no ve que yo no tengo brazos?
— Pendejo, ¿pero no ve que usted tampoco tiene orejas?

CUATRO HERMANITOS MÁS

La señora saca una galletica del paquete y se la da a Benito. La mamá pega el grito:
— ¿Benito, qué se dice?
— ¡Ah! sí; señora, en mi casa yo tengo cuatro hermanitos más.

LA MÍA SANGRABA

— ¿Benito, por qué viene llorando?

— ¡Ay! es que yo... ¡aya yay, ay, ay! es que yo le saqué la lengua a mi mamá.

— Bueno, es que en alguna oportunidad todos los niños le sacan la lengua a la mamá.

— Sí, pero es que la mía sangraba, sangraba, sangraba.

MASCOTA FRUSTRADA

Yo conocí una mascota frustrada, era una mascota que le gustaba seguir a los carros.

HIPERBOLES

* Ese come más que un recién purgado.
* Había una Luna tan llena que se vomitó.
* Tan masoquista que para dormir no contaba ovejas sino dolores.
* Más trasnochado que un bombillo.
* Sube más una señora con asma comiendo polvorosas.
* Sube más una cometa de concreto.
* Sube más una munición en jarabe.
* Es más romántica la carcajada de un marrano.
* Tan vieja, que era la mano derecha del Manco de Lepanto.
* Tan viejo que no chupaba colombinas sino precolombinas.
* Tan viejo que conoció al rey de espadas cuando era sargento.
* Tan viejo que parece que cumpliera años cada tres meses.
* Tan viejo que cuando se casó no tuvo hijos sino nietos.
* Ese tipo come más que los impuestos nacionales.
* Es tan gordo que no le dicen entre, sino que cabe.

* Es tan gordo que todos los espejos le quedan en aumento.
* Es tan gordo que donde le dé un dolor de estómago, ahí mismo se muere.
* Es tan gordo que los taxistas tienen que hacer dos viajes para llevarlo.
* Tan gasolinera que mandó bautizar a los niños: Mazda Patricia y Renaul Fernando.
* Tan infiel la señora, que cuando el marido se paraba al baño le decía: Mija, me hace el favor y me cuida el puesto.
* Tan creído el agente viajero, que cree que los niños que viven en su casa son los suyos.
* Ese tipo está más firme que una muela cordal.
* Oiga, es más raro que una resma de condones.
* Tan fea que ya no la maquillan sino que la reconstruyen.
* Tan fea mi novia, que lo único bueno que tiene son las intenciones.
* En aquel pueblo las mujeres son tan feas que los reinados los ganan los hombres.
* Es tan feo que el mono desciende de él.

VARIOS

EL NEGRO ES IGUALITICO

¿Quién se parece más al mono, el hombre blanco o el hombre negro? El hombre blanco porque el negro es igualitico.

EN DOS VIAJES

En una obra de teatro, Romeo y Julieta, el Romeo era bastante delgado y la Julieta era bastante delgada. Sale Romeo diciéndole esas palabras de amor:

194

— ¡Oh! Julieta, ¿cómo podría raptarte?
Y un tipo entre el público dice:
— En dos viajes, ¡papá!

IBA UNO SUBIENDO

Al tipo no se le quería abrir el paracaídas, iba rumbo al piso; cuando al hombre le faltaban pocos metros para aterrizar iba uno subiendo, lo alcanza y le dice:
— Oiga hermano, ¿usted sabe de paracaídas?
— Ni de paracaídas ni de cilindros de gas, hermano.

PARABA EN TODOS LOS PISOS

El hombre empezó a sospechar que su trabajo peligraba, desde que le pusieron una oficina que paraba en todos los pisos.

HACE COMO CINCO MINUTOS

El árbitro llega al cielo y san Pedro le pregunta:
— Tienes que demostrarme que te mereces el cielo.
— ¿Le parece poco san Pedro lo que yo acabo de hacer? Imagínese una final de campeonato, estadio "Atanasio Girardot" en Medellín, jugaban el Nacional y el América; el partido en ese momento se encontraba 0-0. Lamentablemente hubo un penalty a favor del América y yo lo pité, fui tan honesto que lo pité.
— ¡Ajá! ¿y hace cuánto que sucedió eso?
— Hace como cinco minutos, hermano.

¿POR QUÉ NO ME REVISA EL ACEITE?

El tipo atropella al pobre peatón y éste queda debajo del carro; el conductor le dice:

— Oiga hermano, de una vez que usted está por ahí, ¿por qué no me revisa el aceite?

¿ESE RELOJ SÍ ANDA BIEN?

El dueño de la taberna estaba ya cansado, pero cansado de que todo el mundo que entraba le preguntaba la hora y dice:
— No, yo ya estoy aburrido que me estén preguntando la hora, voy a comprar un reloj.

Se compró el reloj y ahora todos le andan preguntando:
— ¿Oiga jefe, ese reloj sí anda bien?

¿QUIÉN ESTÁ AHÍ?

El soldado estaba de guardia y oye ruido en los matorrales; apunta y pregunta:
— ¿Quién está ahí?
Y le responden:
— Su madre.
Vuelve y pregunta:
— ¿Quién está ahí?
— Su madre.
— Por última vez o disparo, ¿quién está ahí?
— Su madre.
El tipo dispara y va a mirar qué pasó y grita:
— ¡Mamááá!

IBA BENITO

Que un mosquito se le para en la nariz y le dice:
— ¿Para dónde vas mosquito?
— Para la ventana.
— ¡Pum! iba, pendejo, iba.

¿NO SE ENTIENDEN?

— Papi, ¿cuando usted se acuesta con mi mamá en la cama qué hace?
— Nada.
— Mami, ¿cuando usted se acuesta con mi papá en la cama qué hace?
— Nada, mi amor.
— ¡Hola! ¿es que ustedes no se entienden sexualmente, o qué?

NO HAY QUE VENIR AL COLEGIO

— Niños, les voy a poner un ejemplo: Luis venía para el colegio, venía bastante distraído, pisó una cáscara de banano, se resbaló y se partió una pierna. ¿Qué hay que aprender de eso, Benito?
— Pues que no hay que venir al colegio.

¿USTED POR QUÉ TIENE BIGOTE?

El niño viajaba en el tren con su papá y empezaba a hacer preguntas capciosas.
— Papi, papi, ¿por qué esos árboles son verdes?
— Niño, todos los árboles son verdes.
— ¡Aah! papi, mire ese río, ¿cómo se llama?
— No sé, no sé como se llama ese río.
— Pero ese río está lleno de agua.
— Sí, ese río está lleno de agua.
— ¿Y por dentro tiene pececitos?
— Por dentro tiene pececitos.
— ¿Y en el fondo tiene piedritas?
— Sí, en el fondo tiene piedritas.
— ¿Y será que de pronto tiene caracolitos?
— De pronto tiene caracolitos, niño.

– ¿Y por qué la llanura es toda verde? ¿Casi no crecen árboles grandes?

– Yo qué sé, no me pregunte más.

Una señora que estaba al lado dice:

– Señor, usted no sabe educar a los niños, a los niños hay que responderles todas las preguntas. Venga papito, venga; a ver, pregúnteme lo que quiera.

– ¿Usted por qué tiene bigote?

ARGENTINOS

SE ESTÁ COMIENDO EL ARROZ

El argentino cae en manos de caníbales y lo meten en la olla. Entonces, el cocinero empieza a chuzarlo con un tridente y le dice el jefe:

– No torture más al argentino.

Y le dice el cocinero:

– No, no lo estoy torturando, lo que pasa es que este berriondo se está comiendo el arroz de la sopa.

SUBURBIO

¿Por qué hay tan pocos argentinos en Nueva York? Porque como los argentinos creen que Nueva York es un suburbio de Buenos Aires...

BARRIO GHETTO

– Oígame, otra cosa; aparte de lo que acabo de decir de Nueva York, París gracias a los argentinos que viven allá en Francia, se parece más al barrio ghetto de Buenos Aires.

NO PUEDO VIVIR SIN MÍ

Estas son las palabras de amor que suelen decir los argentinos a su mujer o su novia:
— ¿Quieres que te diga una cosa? Yo no sé qué harías vos sin mí, lo que soy yo, no puedo vivir sin mí.

TOTALMENTE INFERIORES

Ahora, no es que los argentinos se sientan superiores. No, no, claro que no. Para ellos el resto son totalmente inferiores y ¡ya!

SALEN POR DARSE AL MUNDO

Ahora, los argentinos no emigran por necesidad, no; salen para darse al mundo.

ESO ES CASPA

Se está jugando un partido de fútbol; está jugando Cannigja, Maradona, Redondo, Ruggieri; todos los jugadores que tiene Argentina para el fútbol. De pronto mandan a Ruggieri a hacer la barra; está Maradona en el centro, está Cannigja y al otro lado está Ruggieri. Entonces empiezan a olerle el cuello a Cannigja, Ruggieri prendido por detrás y Maradona por el otro lado oliéndole el cuello; de pronto se voltea Cannigja y les dice:
— Calmaos muchachos, es, es caspa, eso es caspa.

NO TENGO A QUIÉN CONTÁRSELO

— ¿Padre, vos estás recibiendo confesión?
— Claro, hijo.
— Mira padre, lo que pasa es que anoche, vos sabés que yo soy sensacional, fenomenal; vos sabés, anoche hice el amor con tres mujeres.

— Hijo, ¿y estás arrepentido?

— No, lo que pasa es que no tengo a quién contárselo.

VARIOS

AFICIONADO

Viajaban en el vagón de tren un ruso, un norteamericano y un paisa. De pronto iba una mosca volando y el ruso manda un escupitazo y atrapa a la mosca con el escupitazo; se para el ruso y dice:

— Boris de Dumo Niaco, campeón de Rusia.

Y se sienta. Más adelante otra mosca y el gringo lanza un escupitazo y atrapa a la mosca; se para y dice:

— Tom Mckenzie, campeón de Estados Unidos.

Al rato aparece otra mosca; como es el turno del paisa, escupe y le cae en la cara al de Estados Unidos y dice:

— Vicente Pérez, aficionado.

TELÉFONO

Suena el teléfono:

— Aló, aló, habla Manolo...

— ¡Hola Manolo!, te estoy hablando por la cortadora de césped.

— Oiga, pero se le oye claritico.

LA VA A DEJAR CRECER

— Aló, ¿sí? aló...

— ¿Ahí vive la señora Becerra?

— Sí, aquí vive.

— Mire, le habla el señor Toro, dígale que la va a dejar crecer un poquitico, ¿oyó?

¿HABLA DORA?

— Aló...
— Aló, ¿sí? ¿Habla Dora?
— Habladora será su madre.

PUES LEVÁNTELO

— Aló, aló...
— Sí, ¿aló?
— Hágame el favor, ¿está el señor Tirado?
— Sí, sí está.
— Pues levántelo, no sea desconsiderado.

LES SACA LOS OJOS

— Aló, aló...
— Sí, ¿aló?
— Hágame un favor, ¿está el niño Cuervo?
— Sí, sí está.
— No lo vayan a criar porque les saca los ojos.

¿TIENE PATAS DE COCHINO?

— Aló...
— Sí, aló, salsamentaria.
— Hágame un favor, ¿tiene patas de cochino?
— Sí.
— ¿Entonces, por qué no trabaja en un circo?

PASTUSOS

CORRÍA SOBRE EL AGUA

Oiga, era un perro cazador, pero un perro..., una hermosura, un perro prodigiosamente dotado de cosas muy buenas; imagínese, corría sobre el agua para atrapar la presa y el pastuso lo vendió.
— ¿Qué iba a hacer con un perro que no sabía nadar?

SE MUDÓ

El pastuso estuvo leyendo una noticia en el periódico que decía: La mayor parte de los accidentes suceden en un radio de diez kilómetros alrededor del hogar. Y el pastuso se mudó.

HOMOSEXUALES

LAS ESTRELLAS AL INFINITO

Un tipo de éstos, todos raros, se mete al mar así chévere y empieza a caminar finito, ¿no? y de pronto una estrella lo puya por el pie, una estrella de esas de mar, él saca el pie y saca la estrella, la tira hacia arriba y dice:
— Las estrellas al infinito.
Más adelante, viene una estrella de mar y le pega en la rodilla; él se la quita y la manda hacia arriba y dice:
— Las estrellas al infinito.
Luego viene otra estrella de mar y le puya la cola y dice:
— ¡Ay! que se quede el infinito sin estrellas...

¿SERÍA QUE NOS VIERON?

— Señor González, tengo que recriminarle su modo de proceder aquí en esta empresa. Me han dicho que usted anda diciendo que usted y yo nos besamos.

— ¿Que yo he dicho qué?

— Que usted y yo nos besamos.

— No señor, yo a nadie le he dicho nada.

— ¿No ha dicho que usted y yo nos besamos?

— No, no; ¿yo cómo voy a decir una cosa de ésas?

— ¡Ay! gordo, ¿sería que nos vieron?

TENEMOS LOS MISMOS GUSTOS

— A ver, déme su nombre.

— Mi nombre es soldado Amapolo Espartelano.

— ¿Su nombre es qué?

— Soldado Amapolo Espartelano, para servirte a ti y a la patoja, negro feo, divino.

— ¡Ah no!, qué pena con usted señor, pero ha de saber que a mí me gustan los hombres de pelo en pecho.

— ¡Ay! tenemos los mismos gustos.

CAMINANDO MUY RÁPIDO

Dos tipos de esos bastante raritos van caminando por la calle y de pronto le dice uno al otro:

— ¡Ay! Maritzo, pare un momentico, pare. ¡Ay! ¿no le da un olor como a cabello quemado?

— ¡Ay! yo le dije que veníamos caminando muy rápido.

FUEGO

En el ejército el soldadito como raro de pronto empieza a gritar:

— ¡Fuego, fuego, fuego!
   En ese momento sale el sargento y dice:
— ¿Dónde? ¿dónde?
— En tus ojos mi amor.

¿DOMINA EL INGLÉS?

— A ver señor, le voy a hacer una pregunta: ¿Usted domina el inglés?
— Depende, si es bajito y delgado, sí, sí lo domino.

DIGA 99

— Muy bien, yo le voy a hacer el examen, le voy a poner la mano en la rodilla. A ver, diga 99.
— 99.
— Muy bien. A ver, le voy a poner la mano aquí en el hombro, diga 99.
— 99.
— Muy bien. Le voy a poner la mano aquí en la nalga, diga 99.
— 1, 2, 3, 4...

PÁRESE EN ESTA SILLITA

— Mire señor policía, yo lo mandé llamar; lo que pasa es que, cómo le digo, yo lo mandé llamar pues, es que, mire, ¿sí ve ese edificio? vea asómese, ¿sí ve ese tipo? Ese tipo sale todas las mañanas completamente desnudo. ¡Ay qué porquería!
— Sí, sí, está completamente desnudo; pero mire, no se le ve de la cintura hacia abajo, la ventana lo tapa.
— Sí..., ¡cómo que no!, párese en esta sillita para que lo vea bien todo.

PIRATAS

Ataque de los piratas, se toman el barco y de pronto alguien grita:
— Vamos a violar a los hombres y a matar a las mujeres.
— No, ¡pisst!, es al contrario.
    Y de pronto salta un mariquita por ahí y dice:
— ¡Ay no!, déjenlos; donde manda capitán no manda marinero.

PASTUSOS

ME DICE CON QUIÉN CENA

— Mire pastusito, que su mujer lo está engañando.
— No, no, mi mujer no me está engañando porque ella siempre me dice con quién cena.

SOY TROMPETISTA

— ¿Patusito, usted por qué tiene la boca tan grande?
— Porque es que yo soy trompetista.
— No sea bruto pastuso, se sopla es por el otro lado.

ME LAVO LAS MANOS

Dice el pastusito:
— No, mire, a mí que no me vayan a meter en problemas; yo me lavo las manos como Salomón.
— No, no, mire usted está equivocado; el que se lavó las manos fue Poncio Pilatos.
— ¿Y es que acaso Salomón no se lavaba las manos? ¡o qué!

CORONA

— Pues le comento que su muela está muerta, le pondremos una corona.
— ¡Ay doctor!, yo prefiero que me la entierre sin ceremonia.

REGRESARON POR MÁS PERROS

Fernández y González, dos pastusitos, salieron de la casa con cinco perros, al medio día regresaron por más perros.

ANIMALES

YO HUBIERA HECHO LO MISMO

En el partido de fútbol, entre las hormigas y los elefantes. En ese momento la hormiga va a meter un gol y pasa el elefante y la empuja, le mete un pisotón y, pues claro, pitan falta; el elefante se le acerca y le dice:
— Discúlpeme, por favor, discúlpeme.
Y le dice la hormiga:
— No, no se preocupe, yo hubiera hecho lo mismo.

ATAQUE

Bendito sea mi Dios, que el perro que tengo no lo tiene nadie, ¡papá! No, ¡pa' qué!, qué perro tan bueno; vea, ese perro es tan maravilloso que yo le digo ataque y se tira al piso preinfartado.

CARNE ENLATADA

Después de la guerra quedan todos los centuriones muertos con sus escudos; aparecen varios leones y uno empieza a husmear:
— ¡Ay no friegue!, otra vez carne enlatada.

CUIDADO CON LOS APLAUSOS

El mosquito iba al cine y le dice a la mamá:
— ¿Mami, puedo ir a cine?
— Bueno mijito, vaya al cine, pero cuidado con los aplausos.

SUSTO

El cigüeñito le pregunta a la mamá cigüeña:
— ¿Mami, dónde está mi papi?
— Su papi, su papi le está llevando una sorpresa al doctor.
— ¡Ah ya!
Al otro día la mamá es la que no está; entonces el cigüeñito le pregunta al cigüeño:
— ¿Papi, dónde está mi mamá?
— Su mamá le está llevando una sorpresa a la esposa del panadero.
Al tercer día, están los dos taitas, pero no está el niño.
— Oiga mamita, ¿qué se hizo el niño?
— ¡Umm! yo no sé.
En ese momento entra el niño.
— ¿Usted de dónde viene?
— No, yo que le estaba pegando un susto a una estudiante.

MI GATO ES HIDRÁULICO

— Qué pena señor con usted, pero mi gato ha matado a su perro.
— ¿Cómo es eso?, mi perro es un dóberman.
— Sí, y mi gato es hidráulico señor; se le cayó en la cabeza.

CUENTOS DE BENITO

— Profesora, mi papá sabe el día de su muerte.
— ¡Ay no me diga!, ¿su papá es adivino?
— No, el juez se lo dijo.

NO LLEGA NI A DICIEMBRE

— ¡Uy mami!, ¿usted sí está loca, no?, ¿sí está como loca, no?, ¡uich!, dizque haciendo el pesebre desde octubre.
— No papito, lo que pasa es que con ese cáncer que usted tiene no llega ni a diciembre.

MAMIIII

— Mami, me huele como a cadáver, mami... mami... mamiiii.

AL LADO DE LA VACA

Golpean a la puerta, Benito abre y es una señora suprema-mente gorda, pero soberanamente gorda, regorda. Benito se queda mirándola y dice:
— ¡Uy, uy, hola! esto sí es mucho mundo de carne, ¡hola!
— Niño, ¿está su mamá?
— Sí, sí señora, sí está, pero se está bañando, siga y la espera.
La señora sigue y se sienta, y Benito se queda mirándola:
— ¡Uy no!, pero es que esto sí es mucho, ¡hola!; señora, disculpe, yo me voy a servir un vaso de leche.
Va y saca la leche, se sienta al lado de la señora y dice:
— Voy a tomarme la leche como se la tomaba mi papá para ser sano y fuerte.
— ¿Cómo así? ¿que se la va a tomar como su papá para ser sano y fuerte?
— Sí, se la tomaba al lado de la vaca.

ARRUGAS

— Mami, ¿qué se está echando en la cara?
— Benito, es que me estoy echando, cómo te digo, me estoy aplicando una crema que es para las arrugas.

– ¿Crema que es para las arrugas? Pues maravillosa para las arrugas sí es, cada día le están saliendo más.

SÉ CONTAR HASTA CINCUENTA

A la señora le gustaba valorar su juventud:
– A ver venga Benito, venga a ver, ¿tú puedes adivinar cuántos años tengo yo?
– No, no señora, porque yo sólo sé contar hasta cincuenta.

PARA MAÑANA

El padre estaba agonizando y de pronto se extiende por toda la casa un delicioso olor a flan de vainilla y el padre llama a Benito:
– Ya estoy que me muero, su mamá siempre ha sido una persona especial en la cocina, pero yo quiero que vaya y le pida a ella que, como último deseo, me regale un pedazo de ese flan de vainilla.
– Bueno papi.
El niño se va y vuelve a los dos minutos.
– Papi, papi, que no se emocione mucho que eso lo está cocinando para mañana el entierro.

ESTOY HASTA ACÁ DE COMIDA

El niño vivía de pedir limosnas en el semáforo de aquella esquina; harapiento, bastante hambriento, con sus pececitos descalzos puestos en el duro pavimento, siempre se acercaba a los automóviles y estiraba su manita pidiendo una limosna. En aquella oportunidad es un Mercedes Benz descapotable que se acerca al semáforo, bien conducido por un señor gordo, con un sombrero de vaquero, en sus manos brillan varias cadenas de oro; el niño al advertir la presencia del Mercedes Benz extiende su humilde mano y le pide al señor:

– ¿Señor, me regala una moneda para comprarme un pan?
– ¡Uy chino!, no me hable de comida porque estoy hasta acá de comida.

¡UY DIOS MÍO!

Los niños están conversando y uno dice:
– ¡Ja! mi tío es cura, todos le dicen reverendo.
Por allá se para otro y le dice:
– Eso no es nada, mi tío es cardenal y le dicen excelencia.
– ¡Ja! eso no es nada, ¡papá!, yo tengo un tío que pesa doscientos kilos y cuando todo mundo lo ve dicen: ¡Uy Dios mío!

QUÉ ES CÓLERA

Carta de Benito que estaba en un hospital en Perú:
– Queridos padres, quiero que me expliquen qué es cólera. Besitos, Benito.

NO DEJABA HABLAR

– Benito, ¿sí te gustó el primer día de clase?
– ¡Ay! sí mami, sí me gustó; lo que no me gustó fue una señora que se paró al frente y no dejaba hablar.

HIPERBOLES

* Tan gordo que come al frente de un espejo y cree que come ración doble.
* Tan comedor que usa tenedor de pilas.
* Eso dura más que una cantaleta.
* Tan grandes las naranjas que con ocho se hace una docena.

* Oiga, no hay mujeres feas; hay mujeres mal escogidas.
* Tan feo que cuando la cigüeña lo llevó dejó un letrero que decía: No se aceptan devoluciones.
* Es tan fea que Dios la hizo para demostrarnos que El hace con nosotros lo que le da la gana.
* El señor come más que un cáncer toreado.
* Esto está más enredado que una cabuya entre el bolsillo.
* Más enredado que pelo de loca.
* Tiene más callos que una sopa de mondongo.
* Ese tipo está más caído que bigote chino.
* Ese borracho goterea más que un rancho de paja.
* Esa muchacha está más besada que el anillo del papa.
* Tiene más barrotes que una cárcel.
* Más feo que dos amigos sacándose espinillas en un parque.
* Tan inútil que no sirve como modelo para pintar otro inútil.
* Tan bruto que al oír la chica cantando en el baño puso el oído en la cerradura.
* Tan bruto que disparó al aire y se descachó.
* Tan flaco que se le fueron las pulgas de aguantar hambre.
* Es que es tan flaco que tiene más carne una oblea.
* Tan flaco que nació y su mamá siguió virgen.
* Tan gordo que se abotona el saco y se le salen los ojos.
* Ese señor tiene más grasa que una exposición porcina.
* Más cansón que una papa en un llavero.
* Más cansón que un elefante en un ascensor.
* Tan bruto que cuando nació no lo bautizaron sino que lo patentaron.

BENITO OTRO VIAJE

— A ver niños, pónganse de pie todos los niños que quieran ir al cielo.

Todos los niños se ponen de pie menos Benito.

— Bueno, ¿y es que usted no va al cielo o qué?
— No, no, yo mejor me espero al otro viaje, éste está muy lleno.

LE DOY MIL

El novio de la hermana de Benito está ahí y pues, besos van, besos vienen y Benito que siempre es el polizón que le ponen, estaba ahí.
— Benito, ¿por qué no se va y yo le doy estos $ 200?
— No, si quiere yo le doy mil y me deja mirar, ¿sí?

CÓRRASE

— Benito, no coma más pasteles que se va a estallar.
— Bueno mami, déme otro y córrase pa'llá.

¿ESE PEDACIIITICO?

— Papi, ¿ese pedazote de pastel es para usted?
— No mi amor, es para usted.
— ¡Ay! ¿ese pedaciiitico?

MUY POQUITO NIÑO

El niño Benito está agarrado a una patilla, pero soberana-mente grande; está comiendo y pasa un señor y le dice:
— Oiga, ¿grande la patilla, no?
— No, no señor, la patilla no es grande, lo que pasa es que hay muy poquito niño.

SON DE JUGUETE

Benito con los billetes del tío Rico entra a un almacén y dice:
— Señor, ¿me vende ese avión que está allá?

— Niño, pero es que, perdóneme, pero esos billetes que usted trae ahí son de juguete.
— ¿Y es que el avión es de verdad, o qué? ¡hola!

SE LO TRAGÓ UN TIBURÓN

— Benito, ¿verdad que se murió su papá?
— Sí, que descanse en pez.
— Niño, no se dice que descanse en pez, se dice que descanse en paz.
— ¡No, es que se lo tragó un tiburón!

LO QUE UN HOMBRE PUEDE DESEAR

— ¿Cierto, niño, que yo tengo todo lo que un hombre puede desear?
— Sí señora, usted tiene todo lo que un hombre puede desear: una voz gruesa, un cuerpo grueso y un buen bigote.

ELEFANTE AZUL

— ¿Cómo matarías a un elefante azul?
— Con un rifle para matar elefantes azules.
— ¿Cómo matarías a un elefante rojo?
— Lo estrangulas hasta que se ponga azul y lo matas con un rifle para matar elefantes azules.
— ¿Cómo matarías a un elefante verde?
— Le cuentas chistes groseros hasta que se ponga rojo, enseguida lo estrangulas hasta que se ponga azul y luego lo matas con un rifle para matar elefantes azules.
— ¿Cómo matarías a un elefante amarillo?
— Con un rifle para matar elefantes amarillos.
— No pendejo, ¿cuándo ha visto usted un elefante amarillo?

BAILAN MUY MAL

— ¿Por qué los elefantes bailan tan mal?
— Los elefantes bailan muy mal porque tienen dos patas izquierdas.

TIENE BORDADITA LA E

— ¿Cómo hace para saber que en su cama hay un elefante?
— Porque en el pijama tiene bordadita la E.

¿QUÉ HORAS SON?

— ¿Qué horas son cuando un elefante espicha su reloj?
— Horas de comprarse uno bueno.

MARTINI SECO

— ¿Cómo se le dice a un italiano que se acaba de hacer la circuncisión?
— Martini seco.

PASTUSOS

APRENDER DE CORRIDO

El pastusito leía corriendo porque quería aprender de corrido.

EL ANCLA

— Oiga, yo le voy a hacer una pregunta: ¿Por qué el náufrago que vimos ahora, desapareció?
— ¿Pues cómo no va a desaparecer, si tenemos un capitán pastuso aquí que en vez de tirarle un salvavidas le tiró fue el ancla, hermano?

DIEZ MIL EJEMPLARES

— Pues sí pastusito, eso te cuento, del libro que publiqué, se tiraron diez mil ejemplares.
— ¡Ay qué lástima!, pues han debido venderlos siquiera en arrobas de papel viejo.

LAS SARDINAS

¿Qué sabia es la naturaleza, no? hizo el empaque de las sardinas justo para que cupieran ellas, ¿no?

YA CONOCÍA LA COSTA

El pastusito estaba pasando la luna de miel solo en la playa, porque como su mujer ya conocía la Costa.

ESTA VIDA Y LA OTRA

El pastusito se disparó con una escopeta de dos cañones porque se quería quitar ésta vida y la otra.

PARACAIDISTAS

Aunque ustedes no lo crean, los pastusos colaboraron mucho en la guerra del Golfo Pérsico; ellos enviaron tres submarinos con cuatrocientos paracaidistas.

PASAJEROS

— Estaba leyendo aquí en el periódico compadre, que las aerolíneas de Pasto están perdiendo muchos pasajeros.
— ¡Uy! ¿están perdiendo muchos pasajeros? seguramente es que no cierran bien las puertas de los aviones.

LE VOY A DAR UNA PISTA

Acaban de descubrir a un espía pastuso por asomar la cabeza. Pues resulta que no le querían dar pista:
— Por favor señor, necesito aterrizar de urgencia, atención torre de control de Pasto, necesito aterrizar de urgencia, ¿por qué no me dan una pista?
— Bueno, le voy a dar una pista: redondito, negrito y entra y sale calientico.

NINGUNO TENÍA ZAPATOS

Le habían dicho a los pastusos que los zapatos de cocodrilo se vendían a muy buen precio. Durante la travesía sacaron cocodrilos a granel. Bueno, pero los devolvían al agua porque cómo ninguno tenía zapatos.

PRACTICO WATER POLO

— Compadre, ¿usted qué deporte practica?
— Yo practico el water polo.
— ¿Y cuántos caballos se le han ahogado?

EL GATILLO

Asalta un banco el pastuso con un gato y dice:
— Quieto todo el mundo o aprieto el gatillo.

ES EPILEPSIA

El pastuso sufría de ataques de epilepsia, ya le tocaba andar con un letrero que decía: Si empiezo a temblar es epilepsia, no confundir con apéndice que ya fui operado cinco veces.

TRES OPORTUNIDADES

A pesar que le dieron tres oportunidades al pastuso no supo decir en qué dirección iba el ascensor.

LÍQUIDO PAPER

¿Cómo se hace para saber que un pastuso acaba de usar un computador? Es el único que deja la pantalla llena de líquido paper.

EN LA MIRADA ASTUTA

¿En qué radica la diferencia entre un mono y un pastuso? En la mirada astuta del mono.

NO ENCUENTRAN LOS PEDALES

¿Por qué los pastusos no andan en moto? Porque es que los pastusos no encuentran los pedales.

PARA CASOS DE FALSAS ALARMAS

En el cuerpo de bomberos de Pasto compraron una nueva motobomba, ¿no? para los casos de emergencia; la motobomba vieja la dejaron para casos de falsas alarmas.

TENGA O NO GUIRNALDAS

Epoca de Navidad, salen los pastusitos a buscar un árbol adecuado para llevar a la casa; todo el día estuvieron buscando y como a las 6:00 p.m. le dice uno al otro:
— Vamos a hacer una cosa, nos llevamos el próximo arbolito tenga o no tenga guirnaldas.

PÁNICO

¿Qué hace un pastuso en medio del campo vestido de rambo? Siembra el pánico.

JUEGOS DE CAMAS

El pastusito entra al almacén y dice:
— Buenas señor, ¿ustedes venden aquí juegos de camas?
— Sí, nosotros vendemos juegos de camas.
— ¿Será que usted me puede vender el reglamento, por favor?

ENFRENTE DE MÍ

Se levantó el pastuso un día, se miró al espejo y dijo:
— ¿Dónde he visto este señor, dónde carajos lo he visto? ¡ah! ya sé, este señor es el que siempre se sienta enfrente de mí cuando me están peluqueando.

EN EL FONDO

¿Por qué los pastusos construyen las escuelas en el fondo del mar? Porque en el fondo no son tan brutos.

SALEN A FUMAR

¿Por qué no dejan a los pastusos hacer viajes largos en avión? Porque cuando termina la película salen a fumar un cigarrillo.

RASPÓ UN CARRO

Un pastuso raspó un carro y se ganó una tapita de gaseosa.

PRESTAMISTA PASTUSO

El prestamista pastuto era muy astuto, prestó todo su dinero y luego huyó.

BENITO PREGUNTA

¿Cómo se le dice a un árabe que lleva una oveja debajo del brazo y una cabra debajo del otro brazo? Bisexual.

ARRODILLADA COGIENDO ARROZ

Los judíos son muy tacaños. ¿Cómo se hace para saber cuál es la suegra en una boda judía? Es la que está arrodillada recogiendo arroz.

MENTAS

¿Qué golosinas no existen en Etiopía? Las mentas para después del almuerzo.

SE VAN POR LA COLADERA

¿Cuántos etíopes caben en una ducha? Bueno, eso es difícil de calcular porque como muchos se van por la coladera...

EL ANIMAL MÁS RÁPIDO

¿Cuál es el animal más rápido del mundo? Una gallina en Etiopía.

UNA ALCANCÍA POR LA MITAD

¿Qué se hace para dispersar una manifestación de judíos? Se pasa una alcancía por la mitad.

MISS ETIOPÍA

¿Qué es 10-90-10? Son las medidas de miss Etiopía.

ESTE LADO ABAJO

¿Qué llevan escrito los pastusos en la suela de los zapatos? Este lado abajo.

ABRA POR EL OTRO LADO

¿Qué inscripción se lee en las botellas de Coca-cola en Pasto? Abra por el otro lado.

PIERNA IZQUIERDA, PIERNA DERECHA

¿Qué escuchan los pastusos en el *walkman* cuando salen a trotar? Escuchan una voz que les dice: pierna izquierda, pierna derecha, pierna izquierda...

LA ENCICLOPEDIA DEL SABER

¿Cuál es el libro más pequeño? El libro más pequeño es la enciclopedia del saber pastuso.

NUNCA ENCUENTRAN EL 11

¿Por qué los pastusos nunca marcan el 112 para llamar la policía? Es que nunca encuentran el 11.

NO HAY SALEROS

¿Por qué en la casa de los pastusos no hay saleros? Porque es que a las pastusas les cuesta mucho trabajo meter los granitos de sal por esos huequitos.

BORRADOR EN LAS DOS PUNTAS

¿Cómo se hace para detectar que un lápiz es de fabricación pastusa? Es el único que tiene borrador en las dos puntas.

RECIÉN ELECTROCUTADO

¿Qué es negro, está carbonizado y cuelga de un andamio? Un pastuso recién electrocutado.

CUBITOS DE HIELO

¿Por qué en Pasto no se volvieron a tener cubitos de hielo? Porque la señora que tenía los cubitos se murió.

ES MEJOR DESPERTARLA

¿En qué se parece la envidia a una mujer roncando? Que es mejor despertarla que sentirla.

SIN COCINA

¿Por qué es tan barato construir una casa en Etiopía? Porque allá se construyen sin cocina.

COMEN CUALQUIER COSA

¿Por qué los etíopes son tan crédulos? Porque comen cualquier cosa.

EL REGALO MÁS INÚTIL

¿Cuál es el regalo más inútil que se le puede hacer a un etíope? Un cepillo de dientes.

BLANCO PERFECTO

¿Qué hacen seis negros nigerianos sobre la nieve? Un blanco perfecto.

¡PUFF!

¿Qué diferencia hay entre un tipo que se lanza desde un vigésimo piso de un edificio al que se lanza de un segundo piso? La diferencia es que el primero hace: Aahaaaaaaaaaa y ¡puff! Y el segundo hace ¡puff! y luego aaaaaah...

BORRACHO

LUZ ROJA

Un borracho iba manejando el carro, se pasó una luz en rojo y un policía de tránsito lo alcanza y le dice:
— Oígame señor, ¿es que usted no vio la luz roja?
— No señor, yo sí vi la luz roja, al que no vi fue a usted.

¿Y QUÉ QUERÍA?

La mujer lo está esperando a que salga del bar:
— Míralo no más, míralo no más saliendo borracho de ese bar.
— ¿Y qué quería, que me quedara ahí, o qué?

A ÉSTA TAMBIÉN

El borracho con su señora está viendo una función de magia y el mago de pronto saca un serrucho y empieza a serruchar a la persona que está haciendo el acto de magia; y se para el borracho y dice:
— ¡Ay! a ésta también, a ésta también, por favor.